NOCAUTE

BEST-SELLER DO *THE NEW YORK TIMES*

— GARY VAYNERCHUK —

★ ★ ★ ★ ★ ★ ★ ★ ★ ★ APRESENTA ★ ★ ★ ★ ★ ★ ★ ★ ★ ★

NOCAUTE

COMO CONTAR SUA HISTÓRIA NO DISPUTADO RINGUE DAS REDES SOCIAIS

ALTA BOOKS
E D I T O R A
Rio de Janeiro, 2019

Copyright © 2019 Starlin Alta Editora e Consultoria Eireli
Copyright © 2013 Gary Vaynerchuk

Produção: Casa Educação Soluções Educacionais Ltda.
Tradução: Cristina Yamagami
Preparação de texto: Lizandra M. Almeida
Edição: Adriana Salles Gomes
Revisão: Ana Luisa Astiz, Márcia Menin, Virgínia Vicari
Diagramação e capa: Carlos Borges Jr.
Coordenação de produção: Cassia Bufolin
Produção Editorial - HSM Editora - CNPJ: 01.619.385/0001-32

Todos os direitos estão reservados e protegidos por Lei. Nenhuma parte deste livro, sem autorização prévia por escrito da editora, poderá ser reproduzida ou transmitida. A violação dos Direitos Autorais é crime estabelecido na Lei nº 9.610/98 e com punição de acordo com o artigo 184 do Código Penal.

Erratas e arquivos de apoio: No site da editora relatamos, com a devida correção, qualquer erro encontrado em nossos livros, bem como disponibilizamos arquivos de apoio se aplicáveis à obra em questão.

Acesse o site www.altabooks.com.br e procure pelo título do livro desejado para ter acesso às erratas, aos arquivos de apoio e/ou a outros conteúdos aplicáveis à obra.

Suporte Técnico: A obra é comercializada na forma em que está, sem direito a suporte técnico ou orientação pessoal/exclusiva ao leitor.

A editora não se responsabiliza pela manutenção, atualização e idioma dos sites referidos pelos autores nesta obra.

Dados Internacionais de Catalogação na Publicação (CIP)
Angélica Ilacqua CRB-8/7057

Vaynerchuk, Gary
  Jab,Jab,Jab Nocaute : como contar sua história no disputado ringue das redes sociais / Gary Vaynerchuk ; tradução de Cristina Yamagami. — Rio de Janeiro : Alta Books, 2019.

  232 p.
  Bibliografia
  ISBN 978-85-508-1024-9
  Título original: Jab, Jab, Jab, Right Hook: How to Tell Your Story in a Noisy Social World

  1. Marketing na internet 2. Mídias sociais 3. Marketing - Aspectos sociais 4. Empreendedorismo 5. Comércio eletrônico 6. Internet I. Título II. Yamagami, Cristina
  16-0761   CDD 658.872

Índices para catálogo sistemático:

1. Marketing na internet : Mídias sociais

ALTA BOOKS
EDITORA

Rua Viúva Cláudio, 291 — Bairro Industrial do Jacaré
CEP: 20.970-031 — Rio de Janeiro (RJ)
Tels.: (21) 3278-8069 / 3278-8419
www.altabooks.com.br — altabooks@altabooks.com.br
www.facebook.com/altabooks — www.instagram.com/altabooks

OUTROS LIVROS DE GARY VAYNERCHUK

Vai Fundo!
Gratidão
#AskGaryVee

Aos meus filhos, Misha e Xander.
Vocês deram um nocaute de amor na
minha vida que eu nem sabia que existia.
E à mulher que os trouxe para mim,
o amor da minha vida, Lizzie.

SUMÁRIO

Agradecimentos	IX
Nota do autor	XI
Introdução: A pesagem	01
Primeiro round: A preparação	07
Segundo round: Características de um conteúdo espetacular e de histórias fascinantes	23
Terceiro round: Contando histórias no Facebook	39
Quarto round: Abra bem os ouvidos no Twitter	97
Quinto round: Dê um toque de glamour no Pinterest	137
Sexto round: Seja um artista no Instagram	155
Sétimo round: Anime-se no Tumblr	171
Oitavo round: Oportunidades em redes diversas	191
Nono round: Empenho	197
Décimo round: Todas as empresas são organizações de mídia	201
Décimo primeiro round: Conclusão	203
Décimo segundo round: O nocaute	205
Notas	207

AGRADECIMENTOS

São tantas as pessoas a agradecer que seria impossível incluí-las em um tuíte. Por isso, decidi relacioná-las em uma página especial.

Em primeiro lugar, sou grato à minha família, que amo muito e que sempre me ajuda, me apoia e me motiva. Essas pessoas são a luz que guia minha vida.

Também agradeço a Stephanie Land, parceira espetacular no processo de criação dos livros. Este é o terceiro que escrevemos juntos. Steph, muitíssimo obrigado. Eu jamais, jamais mesmo, seria capaz de produzir um livro sem você.

Um grande abraço a Nathan Scherotter, o CEO desta obra. Nate é um amigo e parceiro de negócios fantástico há bastante tempo. Sua ajuda na definição do conteúdo e nas vendas do livro foi importantíssima. Eu o amo como um irmão... exceto quando nos enfrentamos no basquete.

Sou grato, ainda, ao pessoal da VaynerMedia que me ajudou neste projeto. Kelly McCarthy, Marcus Krzastek e Etan Bednarsh, muito obrigado por formarem uma família e uma parceria tão incríveis. Outro grande agradecimento a Vikash Shah, Steve Unwin, Sam Taggart, Colin Reilly, Alan Hui-Bon-Hoa, Haley Schattner, India Kieser, Jed Greenwald, Jeff Worrall, Katherine Beattie, Nik Bando, Patrick Clapp, Michael Roma e Simon Yi, pela ajuda com o conteúdo do livro, e a

Andrew Linfoot, George Barton e Kyle Rosen, nossos estagiários que tanto nos ajudaram.

Devo imensa gratidão ao pessoal da HarperCollins. Sempre foi um enorme prazer trabalhar com Hollis Heimbouch e sua equipe, cujo valor, a cada passo do caminho, é simplesmente inestimável.

Acima de tudo, agradeço a todos os fãs e outras pessoas que vêm acompanhando minhas discussões sobre as tendências atuais. Sei que seria clichê dizer que eu não estaria aqui sem vocês, mas é a mais pura verdade. Se não comprassem meus livros, não os lessem e não dessem sua opinião, eu nem me daria ao trabalho de escrevê-los. Este livro é para vocês.

Por último, e como sempre, sou grato à minha esposa e aos meus filhos, que amo do todo o coração. Aos meus pais, Sasha e Tamara, e à minha avó Esther. Ao meu irmão, A. J., e à sua maravilhosa namorada, Ali. À minha irmã Liz, ao meu cunhado Justin, e aos seus filhos, Hannah e Max. Ao meu cunhado Alex, à sua esposa, Sandy Klein, e aos seus filhos, Zach e Dylan. E também aos meus maravilhosos sogros, Peter e Anne Klein. Vocês todos são tudo para mim.

NOTA DO AUTOR

Quando escrevi este livro, eu tinha ações do Facebook. Também tinha ações do Twitter, que comprei em 2009. E tinha ações do Tumblr, adquirido pelo Yahoo! em 2013.

Não tenho ações do Snapchat nem do Pinterest, mas gostaria de tê-las comprado.

Tomei o cuidado de não criticar nenhum concorrente dos clientes da VaynerMedia nos estudos de caso apresentados neste livro.

INTRODUÇÃO

A PESAGEM

Basta espiar o feed do meu Twitter durante a temporada de futebol americano para perceber que praticamente a única coisa capaz de acabar com meu otimismo e meu amor à vida são as burradas do New York Jets, como quando o *quarterback* tromba com outro jogador do time, perde a bola e entrega um touchdown ao adversário – enfim, nada fora do comum. Não é segredo que pretendo comprar o time. Talvez não de Woody Johnson nem do sucessor dele, mas um dia eu ainda o compro. Isso quer dizer que cada derrota é um golpe contra minha pessoa. No entanto, apesar de ser apaixonado por futebol americano, o esporte que domina minha vida é outro. Na maior parte do tempo, a menos que eu esteja com minha família, estou trabalhando. Isso significa que, na maior parte do tempo, como acontece com muitos outros empreendedores, profissionais de marketing e empresários, estou praticando boxe.

Rápido, competitivo e agressivo, o boxe é uma excelente metáfora para o mundo dos negócios. E, apesar de ter perdido popularidade nas últimas décadas, provavelmente mais palavras desse esporte foram incorporadas ao nosso vocabulário do que as de qualquer outro. Vejo isso em reuniões de conselho o tempo todo. Quando gestores e profissionais de marketing apresentam suas estratégias de mídia social, não raro falam em um "nocaute" ou em um "gancho de direita" – a tão esperada liquidação ou campanha – que fará a concorrência beijar a lona. Os olhos deles brilham como os de Mike Tyson aos 20 anos, pouco antes de derrubar Trevor Berbick em menos de seis minutos e se tornar o mais jovem campeão dos pesos-pesados da história do boxe. Esses caras têm sangue nos olhos. Até em empresas que dão duro para desenvolver, aos poucos e com paciência, os relacionamentos cruciais para fazer deslanchar boas campanhas de mídia social, o pessoal de marketing não vê a hora de desferir aquele golpe potente que vai nocautear o adversário ou derrubar a resistência dos clientes. Afinal, são os ganchos de direita que convertem o tráfego em vendas. São os ganchos de direita que ganham prêmios no Cannes Cyber Lions. E é fácil ver os resultados e o retorno sobre o investimento (ROI) que eles trazem. Exceto quando isso tudo não acontece.

Essa é a verdade, não é mesmo? Temos deparado com alguns sucessos nas mídias sociais ao longo dos anos, mas é muito mais comum ver profissionais de marketing dando seus melhores ganchos de direita no Facebook, no Twitter, no Instagram e no YouTube sem conseguir desferir o golpe fatal na forma de mais vendas e maior participação de mercado. Eles socam com toda a força e... nada, só atingem o ar. E não é que o anúncio não atingiu ninguém. As pessoas o viram, mas simplesmente não lhe deram a mínima. Apesar da fantástica conscientização do cliente, o conteúdo da marca não foi convincente a ponto de inspirar os consumidores a fazer algo a respeito.

Achei que demoraria três ou quatro anos para escrever outro livro. Achei que já tivesse dito tudo o que tinha a dizer. Minha missão é convencer os profissionais de marketing de que hoje as empresas precisam estar 100% focadas em satisfazer o cliente. Depois de passar tanto tempo pregando a importância do *jab* – uma interação por vez que vai desenvolvendo, aos poucos, mas com autenticidade, relacionamentos entre marcas e clientes –, a última coisa que eu queria fazer era escrever um livro sobre como executar um gancho de direita fatal usando conteúdo. Suspeito que, no fundo, se tivesse escolha, a maioria dos empreendedores abandonaria todo o engajamento social e iria direto ao nocaute, porque esse processo é trabalhoso e demorado. Nosso cérebro é configurado para buscar a gratificação imediata, e preferimos não exercer a paciência se não for absolutamente necessário. Por isso, fico nervoso com a possibilidade de, se eu lançar um guia para desenvolver o conteúdo perfeito em todas as principais plataformas de mídia social de hoje, muita gente vai pensar que pode deixar de lado a demorada tarefa de engajar os clientes. Munido de um

INTRODUÇÃO

gancho de direita infalível e nocauteador, você não precisaria de tantos *jabs* para vencer, certo?

Errado. Errado, errado, errado, errado, errado.

O boxe é chamado de "doce ciência" por uma razão. Os críticos desprezam o esporte por considerá-lo estupidamente bárbaro, mas, onde eles veem violência, os que entendem e respeitam o boxe veem estratégia. Na verdade, o boxe não raro é comparado ao xadrez, por causa de todo o pensamento estratégico envolvido. O gancho de direita recebe todo o crédito pela vitória, mas é a movimentação no ringue e a série de *jabs* bem planejados que antecedem o gancho de direita que levam ao sucesso. Sem uma combinação adequada de *jabs* para levar seu cliente – quero dizer, seu adversário – exatamente aonde você quer, seu gancho de direita pode ser perfeito, mas seu adversário será capaz de se desviar dele com facilidade. Se aquele gancho de direita perfeitamente executado for precedido por uma combinação de *jabs* estratégicos e bem direcionados, porém, você raramente vai perder.

Percebi que teria de escrever este livro no final de 2012, voltando para casa da Costa Oeste em um voo noturno. Eu estava exausto, encostado na lateral do avião com a testa contra a janela, simplesmente cansado demais para manter a cabeça erguida. E me lembrava dos tempos da Wine Library TV, o videoblog de vinhos que lançou minha carreira no marketing de mídias sociais e ajudou a abrir o caminho para o ponto em que estou agora.* Sempre atribuí o sucesso daquela empreitada ao meu foco determinado e resoluto em engajar meus fãs e clientes, respondendo a todos os e-mails e comentários no blog e fazendo de tudo para mostrar que valorizo a opinião deles. No entanto, eu tinha acabado de passar mais um dia analisando uma campanha de mídia social desajeitada, equivocada e francamente medíocre de um cliente potencial. Apesar do fervoroso empenho em engajar os clientes, a empresa estava conquistando pouca conscientização da marca ou *momentum* de vendas. E, sentado naquele avião, pensando em como ajudá-los, mas sem saber ao certo se deveria dar um gás a mais e responder a meus e-mails ou cair em coma profundo, tive uma epifania. O conteúdo.

Quando lancei a Wine Library TV, optei por postar vídeos longos, de cerca de 20 minutos cada um, em uma plataforma (no YouTube e, mais tarde, em 2007, no Viddler) na qual pedir às pessoas que vissem um vídeo de 5 minutos era o equivalente a pedir que assistissem a uma interminável cena do deserto na versão sem cortes de *Lawrence da Arábia*. E mesmo assim muitas relaxaram com os pés para cima diante do computador para me ver provar vinhos e ouvir o que eu tinha a dizer. Por quê? A Wine Library TV pode não ter sido o sucesso que foi só porque me empenhei mais do que os outros. Talvez a popularidade do canal não se explique apenas pela minha combinação especial de experiência, senso de humor e irreverência (sem mencionar meu carisma irresistível). A alta qualidade do conteúdo definitivamente teve seu peso na equação, mas poderia não ter feito muita diferença se eu não produzisse conteúdo nativo, autêntico, desenvolvido à perfeição para aquela nova plataforma em particular, o YouTube, não graças a uma boa iluminação ou a uma edição elaborada, e sim porque era cheio de autenticidade e "concretude". E talvez a solução para meus clientes e outras pessoas que me procuravam em busca de conselhos fosse fazer o mesmo.

O mundo dos negócios teimava em não aceitar que uma abordagem de curto prazo para a mídia social era equivocada. Assim, dediquei a maior parte do meu tempo e energia ao longo dos anos a enfatizar a importância da visão de longo prazo e a ensinar as pessoas a se comunicar de modo a desenvolver relacionamentos autênticos e ativos com os clientes. Meu último livro, *Gratidão**, poderia muito bem ter sido intitulado *Jab, Jab, Jab, Jab, Jab!* Ele tem duas partes: na primeira, desenvolvo um sólido argumento em prol do ROI resultante de desferir *jabs* nos clientes – em outras palavras, engajá-los com uma mídia social e um atendimento incríveis e sinceros – e, na outra, apresento estudos de caso ilustrando excelentes *jabs* e mostrando como eles aumentaram as taxas de conversão. No entanto, apesar de ser verdade que não é possível desferir um bom gancho de direita sem preparar o terreno com uma série de bons *jabs*, também é certo que nenhuma luta jamais foi vencida só com *jabs*. Mais cedo ou mais tarde, você vai precisar desferir seu grande golpe. Sentado naquele avião, percebi que havia me preocupado tanto em aperfeiçoar os *jabs* das pessoas que não tinha dado atenção suficiente a melhorar o gancho de direita delas.

Falei tão pouco sobre o momento da conversão em *Gratidão* porque o livro foi lançado logo depois do primeiro, *Vai Fundo!*†, que explica como deve ser um conteúdo espetacular e apresenta uma série de plataformas que muitas pessoas consideravam bizarras e até sem sentido na época, mas que hoje são amplamente aceitas e vistas como cruciais para os negócios. Mas era 2011. O Pinterest e o Instagram ainda estavam em desenvolvimento. A maioria das atualizações de status no Facebook era de texto, não de fotos ou gifs. Ninguém

---

* Concluí a Wine Library TV com mil episódios. Obrigado a todos que me pediram que a trouxessem de volta, especialmente @StanTheWineMan.

tinha iPad. Os ganchos de direita devem ser desferidos de um jeito diferente agora, por causa da enorme mudança e proliferação das plataformas de mídia social. Eu não tinha certeza se queria mesmo escrever outro livro, mas sentia que era necessário, pois o que havia aprendido no intervalo de mais ou menos um ano era tão urgente que precisava ser dito naquele exato momento. Acho que sei como será o futuro do marketing. Fora isso, o que muda? Como sempre, muita gente vai discordar de mim. No entanto, acredito que estou certo e gosto de me sentir assim.

Jab, Jab, Jab – Nocaute é uma atualização de tudo o que minha equipe da VaynerMedia e eu aprendemos sobre mídias sociais e marketing digital com o trabalho que realizamos com milhares de startups, empresas da *Fortune 500*, muitas celebridades e um bom número de empreendedores e pequenas organizações desde aquele dia no avião. O livro, uma combinação dos melhores elementos de *Vai Fundo!* e *Gratidão* sob a perspectiva de hoje, apresenta uma fórmula para o desenvolvimento de estratégias eficazes de marketing de mídia social e marketing criativo. Também discute o engajamento, porque ainda acho que a maioria das pessoas não está se engajando o suficiente para preparar o terreno com os *jabs* como deveria, mas este livro enfatiza os ganchos de direita. Mais especificamente, fala sobre como criar um conteúdo nativo perfeito e distinto para cada uma das várias plataformas que você agora precisa usar para fazer a polinização cruzada de sua marca e mensagem.

Não importa quem você é ou em que tipo de organização trabalha, sua principal tarefa é contar sua história aos consumidores onde quer que eles estejam, de preferência no exato momento em que decidem fazer uma compra. Por muito tempo, isso foi feito na televisão, no rádio e na mídia impressa. Fomos evoluindo e acabamos experimentando o marketing de guerrilha, enviando e-mails e criando banners. Entretanto, o poder de chamar a atenção dessas plataformas mais antigas está enfraquecendo, seu público tem diminuído e a cada dia fica mais caro atingir um número de pessoas menor, porque, embora essas plataformas mais antigas ainda sirvam ao seu propósito, as pessoas simplesmente não estão vendo TV, ouvindo rádio, lendo a mídia impressa ou dando muita atenção aos e-mails – pelo menos, não com a mesma frequência de antes. Agora elas estão nas mídias sociais.

Essas novas plataformas ainda parecem novas, eu sei, e muito há por vir. Contudo, a infraestrutura já foi construída e o encanamento está fun-

---

* Pode comprar o livro, é bom.
† Compre esse também!

cionando, então é hora de aprender a usar o sistema para atingir os objetivos da sua empresa e alocar mais tempo, energia e recursos para os locais em que os consumidores de fato estão. As plataformas de mídia social oferecem nossa maior chance de fazer nosso investimento render.

Pense neste livro como um campo de treinamento que vai prepará-lo para contar histórias nas mídias sociais mais importantes da atualidade. Para ele não perder valor com o tempo, as plataformas escolhidas para análise são as que têm se mostrado mais duradouras. Você aprenderá como criar a fórmula narrativa que mais vai ressoar entre os consumidores enquanto eles dão aquela olhada no smartphone 40 vezes por dia. Também conhecerá exemplos bons, ruins e feios de algumas narrativas da mídia social feitas por marcas famosas ou nem tanto. Com isso, espero cumprir a promessa que fiz a mim mesmo quando decidi escrever este livro: criar um guia para afastar as pessoas das armadilhas mais comuns do marketing de mídia social, uma referência que elas possam consultar repetidas vezes. Como no boxe, uma vez que aprender a ciência do esporte da mídia social, você será capaz de aplicar o que aprendeu nesses ringues a qualquer plataforma que surgir no futuro. E isso já é uma grande história.

Vejo este livro como o último volume de uma trilogia que cobre não só a evolução dos meios de comunicação social, mas minha própria evolução como profissional de marketing e empreendedor. O mundo muda, as plataformas mudam e nós aprendemos a nos adaptar. No entanto, a fórmula secreta continua a mesma: uma conscientização espetacular da marca e lucros financeiros que podem ser atingidos por meio do marketing de mídia social exigem energia, coragem, sinceridade, engajamento constante, comprometimento em longo prazo e, acima de tudo, um storytelling habilidoso e estratégico. Jamais se esqueça disso, não importa o que você aprenda aqui.*

---

* Por favor.

PRIMEIRO ROUND

A PREPARAÇÃO

Cadê seu celular?

No bolso da sua calça? Em cima da mesa na sua frente? Nas suas mãos, porque você está lendo este livro nele? Provavelmente está em algum lugar de fácil acesso, a menos que você seja uma daquelas pessoas que vivem perdendo o celular e que minha pergunta o tenha levado a vasculhar de novo o cesto de roupa suja ou a procurar embaixo do banco do carro.

Se você estiver em um espaço público, dê uma olhada ao redor. Estou falando sério; levante a cabeça e dê uma olhada. O que você vê? Celulares. Algumas pessoas estão sendo antiquadas e usando o aparelho para efetivamente falar com alguém, mas aposto que algumas delas, possivelmente várias, dentro de um raio de 1 metro, estão jogando alguma coisa. Ou tocando duas vezes em uma imagem. Ou escrevendo uma atualização de status. Ou compartilhando uma foto. Ou enviando um tuíte. Na verdade, a menos que você esteja visitando a tia Sally na casa de repouso – e mesmo assim você ficaria surpreso ao saber como os iPads têm feito sucesso no grupo demográfico dos 90 anos de idade –, é mais do que provável que quase todo mundo ao seu redor esteja empunhando um smartphone ou tablet (e mais da metade dessa turma deve estar fazendo networking nas mídias sociais).

Se eu escrevi essa parte direito, ela deve ser lida com o tipo de tom sério que reservamos às Notícias Importantíssimas. E qual é a importância no caso? A essa altura, todo mundo já sabe: as mídias sociais estão em todo lugar. Elas revolucionaram o modo como a sociedade vive e se comunica. Não foram apenas os jovens e os que gostam de novidades que se viciaram nas mídias sociais. Mais de 50% da população dos Estados Unidos está no Facebook e mais de 310 milhões de pessoas no mundo todo usam o Twitter mensalmente, aí incluídos desde o papa até um papagaio chamado Rudy e quase todas as pequenas companhias norte-americanas. Além disso, quase a metade de todos os usuários das redes sociais acessa esses sites pelo menos uma vez ao dia, muitas vezes assim que acordam. As mídias sociais mudaram o modo como as pessoas entram e saem de relacionamentos, mantêm contato com a família e encontram empregos. Poucos resistentes, se é que eles ainda existem, negam que hoje em dia as empresas simplesmente não podem deixar de estar nas mídias sociais, sobretudo quando uma em cada quatro pessoas diz que usa essas plataformas para tomar suas decisões de compra.* Os *baby boomers*, que controlam 70% das despesas dos Estados Unidos, aumentaram em 80% sua utilização das mídias sociais de 2011 a 2014.

As mães, que são as compradoras e analistas de orçamento da maioria das famílias, estão bombando nesses sites. As pessoas que as organizações e marcas querem atingir, aquelas que tomam as decisões de compra e que têm dinheiro para gastar, estão passando cada vez mais tempo nas redes sociais. Isso porque elas não estão mais presas a seus computadores para obter suas doses diárias de confraternização. Graças aos smartphones e tablets – e, mais cedo ou mais tarde, aos óculos inteligentes e quem sabe mais o quê –, aonde essas pessoas forem, suas redes sociais também irão.

A mídia social é como o crack: imediatamente gratificante e extremamente viciante. Com seus dispositivos móveis nas mãos, é como se as pessoas estivessem recebendo injeções intravenosas da coisa, um fluxo constante e incrivelmente ruidoso de informações, imagens e interações. E, como acontece com qualquer droga (pelo menos foi o que me disseram; falando sério, nunca provei nada), quanto mais as pessoas usam, mais elas querem. Daí a importância de que mais da metade da população norte-americana usuária de celulares utiliza seus dispositivos móveis para se engajar

---

* Daqui a cinco anos ou menos, esse número provavelmente vai ter crescido –uma em cada duas pessoas será influenciada nas mídias sociais para fazer suas compras.

em redes sociais. Essas pessoas passam tanto tempo no celular que isso está começando a mudar a maneira como elas querem interagir com marcas, serviços e empresas, mesmo quando *não* estão nessas redes.

Notícias Importantíssimas? Pode apostar que são.

COMO O SOCIAL E O DIGITAL SE FUNDIRAM

Esses dados estatísticos revolucionam os princípios fundamentais do marketing nos dias de hoje. Nos últimos 50 anos, os profissionais de marketing aprenderam a dividir suas campanhas em três categorias: tradicional, digital e social. Sabíamos que o marketing tradicional tinha começado a perder grande parte de sua relevância e alcance com o advento das opções proporcionadas pela internet e pelas mídias digitais, distanciando o público de comerciais de TV e da mídia impressa. Mesmo assim, quando devidamente alinhadas, essas três plataformas muitas vezes podiam se complementar com eficácia. No entanto, agora que as pessoas são viciadas nas redes sociais, elas se impacientam quando sua experiência de mídia não inclui um elemento social e simplesmente seguem em frente. A mídia social não está apenas distanciando o público do marketing tradicional. Está canibalizando a mídia digital também.

* A mídia social não vende merda nenhuma!
– Gary Vaynerchuk

ATÉ O MARKETING DIGITAL ESTÁ DILUÍDO

Taxas de abertura de e-mail	Taxas de cliques em banners	Demanda do Google AdWords (em custo por clique)
2002 = **37,3%** Fonte: DoubleClick, do Google 3º trimestre de 2002	Meados dos anos 1990 = **3,0%** Fonte: Thorson & Schumann outubro de 2004	**2011 a 2012** ▼ 15% no período Fonte: Google Inc. – outubro de 2012
2009 = **26%** Fonte: Harte-Hanks junho de 2011	Início dos anos 2000 = **0,5%** Fonte: Thorson & Schumann outubro de 2004	
2011 = **17%** Fonte: Harte-Hanks junho de 2011	2010 = **0,1%** Fonte: Google 2010	

As evidências são claras. E-mails, banners, otimização para ferramentas de busca (SEO)... o poder de todas essas vigorosas táticas de marketing digital da era da internet está diminuindo, com uma exceção: quando a plataforma digital inclui componentes de mídia social. Com efeito, incluir uma camada social em qualquer plataforma aumenta imediatamente sua eficácia.

Qualquer pessoa atenta à história e às tendências da mídia não deve se surpreender com isso. É natural que toda nova plataforma de marketing roube público da plataforma anterior. O rádio se apossou do público da mídia impressa, a TV pegou para si o público do rádio, a internet arrebanhou o público de todas essas plataformas antigas e agora as mídias sociais (que na verdade não passam da evolução da internet) estão a caminho de usurpar todas elas. No entanto, o que espanta, até a mim, é a velocidade na qual essa progressão está ocorrendo. Passaram-se 38 anos até que o rádio chegasse a uma audiência de 50 milhões de pessoas. A televisão demorou 13 anos para conquistar um público do mesmo tamanho. O Instagram, por sua vez, levou só um ano e meio.

Com o acesso instantâneo às mídias sociais possibilitado pelos dispositivos móveis, o conceito de atenção exclusiva deixou de existir.* Não é só que as pessoas ficam fuçando no Facebook no laptop enquanto estão no sofá meio que assistindo ao *The Voice*. Elas compartilham no Pinterest enquanto atravessam a rua. Fazem o upload de fotos no Instagram enquanto dirigem. E, enquanto enviam tuítes no supermercado, começam a ignorar as marcas que gastaram uma fortuna para serem expostas nas extremidades das prateleiras e nos displays de doces e revistas no caixa.† Do ponto de vista da segurança pessoal, as redes sociais móveis são um desastre. Ninguém mais olha para onde vai. Contudo, da perspectiva do marketing, não é difícil prever o que o futuro nos reserva: o setor de marketing de mais rápido crescimento e que mais está chamando a atenção das pessoas é a mídia social. As rígidas linhas divisórias entre as categorias de marketing deixaram de existir e serão todas recobertas por uma camada de marketing social.

O problema é que a maioria das marcas, organizações, executivos e empreendedores ainda não entendeu a mensagem e insiste em pagar em excesso por retornos decrescentes.

Não é que as empresas não estejam tentando. Muitas foram arrastadas,

---

* Muita gente está chorando e rangendo os dentes com a situação. Mas é a evolução, pessoal. O melhor a fazer é dar a volta por cima.
† Ad Age, quando vocês finalmente reconhecerem essa grande tendência, por favor, não deixem de atribuir a este livro o pioneirismo em expor o fato.

chutando e gritando, mas, a esta altura, a maior parte já percebeu que ter uma página no Facebook e uma conta no Twitter é crucial para a visibilidade e a credibilidade da marca. E por isso elas estão lá. Só não têm feito o trabalho direito ainda. Enquanto as organizações estão se acostumando com a ideia de marcar presença nas redes sociais, a mídia social transcendeu essas plataformas e poucas conseguiram acompanhar a evolução.

Os profissionais de marketing e líderes empresariais têm de correr atrás do prejuízo. As pessoas querem funções sociais onde consomem sua mídia. Isso significa que você precisa incluir um elemento social em todo o seu marketing criativo, inclusive na mídia tradicional, e em todas as interações com os clientes, fazendo comentários no Tumblr, transformando um banner em um jogo, engajando os clientes em um agregador de notícias ou direcionando as pessoas ao Facebook no final do anúncio de rádio de 30 segundos. A partir de agora, toda plataforma deve ser tratada como plataforma de rede social.

E, agora que seu consumidor está nos dispositivos móveis, você e sua empresa também precisam migrar.

Uma rápida olhada nas iniciativas de marketing de algumas empresas revela que muitas já sacaram que os apps e as redes móveis apresentam as maiores oportunidades de crescimento da marca. Elas estão disseminando conteúdo por todas as mídias sociais móveis, marcando presença em todas as redes mais populares, como o Facebook, o Twitter, o Tumblr, o Instagram e o Pinterest. Em sua maior parte, o conteúdo dessas empresas é algo como:

Tirando o Twitter, você consegue diferenciar de verdade as plataformas? Embora algumas delas possam, um dia, fazer mudanças para alterar esse cenário, no momento da escrita dessas palavras, é impossível saber qual plataforma é qual.

Escrevo isso com o maior respeito possível: executivos, pequenas empresas, celebridades, eu sei que vocês estão tentando, mas, com poucas exceções, o conteúdo que têm postado é uma droga. Querem saber por quê? Porque, apesar de os consumidores passarem, hoje, cerca de três horas por dia em seus smartphones e tablets, vocês ainda não estão investindo o suficiente nas plataformas móveis. Vocês não podem simplesmente reciclar um material antigo criado para uma plataforma, jogar esse conteúdo em outra plataforma e se espantar quando todo mundo bocejar na sua cara. Ninguém jamais pensaria que seria boa ideia usar um anúncio publicado na mídia impressa em um comercial de TV ou confundiria um anúncio de rádio com um banner. Assim como seus primos das mídias tradicionais, todas as plataformas de mídia social têm a própria linguagem. No entanto, poucos de vocês se deram ao trabalho de descobrir a diferença. A maioria das grandes empresas não investe recursos financeiros, e companhias menores e celebridades não investem tempo. Vocês são como turistas em Oslo que não se preocuparam em aprender uma palavra de norueguês sequer. Como podem esperar que alguém se importe com o que vocês têm a dizer?

Independentemente de você ser um empreendedor, uma microempresa ou uma organização da *Fortune 500*, a essência de um marketing excelente é contar sua história de um jeito que leve as pessoas a comprar o que você está vendendo. Isso não muda. O que está em eterna evolução, especialmente neste mundo móvel e ruidoso, é como, quando e onde a história é contada e até mesmo quem a conta.

Este livro vai mostrar como desenvolver o tipo de conteúdo compartilhável, relevante e orientado pelo valor que levará os consumidores a sempre prestar atenção à sua história, aonde quer que eles forem, e a divulgar seu conteúdo, criando um boca a boca crucial para efetivamente fechar a venda. No fim das contas, essa é a verdadeira razão para fazer esse tipo de coisa. Afinal, as mídias sociais só não vendem merda!

POR QUE O STORYTELLING É COMO O BOXE

Até recentemente, o marketing tradicional não passava de uma luta de boxe unilateral, com as empresas desferindo ganchos de direita nas mesmas plataformas – rádio, TV, mídia impressa, outdoors e, mais tarde, internet – com a maior rapidez e frequência possível.

"Pague um e leve dois, só hoje!" Soco.

"Venha visitar a loja agora!" Soco.

"Não perca essa oportunidade única!" Soco.

Era uma luta injusta, mas funcionava. Os clientes tinham de levar o soco, porque não dispunham de outro lugar para consumir sua mídia. As mídias sociais, porém, finalmente lhes deram uma vantagem. A luta, então, foi transferida para uma plataforma que lhes permitiu exigir uma mudança nas regras do jogo. Eles demandaram mais tempo. Passaram a querer que as empresas treinassem um pouco com eles, lhes dessem atenção, os deixassem expressar suas opiniões e interesses e participar da construção da marca antes de lhes oferecer a oportunidade de fazer a venda. Com isso, os profissionais de marketing se viram obrigados a despender muito mais tempo dando *jabs* nos consumidores antes de desferir o gancho de direita.

Foi por essa razão que dediquei a maior parte dos meus dois últimos livros explicando como dar um bom *jab*, mesmo sabendo que os gestores e os profissionais de marketing tendem a se concentrar nos ganchos de direita. Os *jabs* são os conteúdos peso-pena que beneficiam seus clientes levando-os a rir, refletir, brincar, sentir-se valorizados ou escapar por um tempo das chateações da vida. Já os ganchos de direita são *calls to action* que beneficiam seu negócio. É exatamente o que acontece quando você conta uma boa história – o ponto alto ou clímax não tem força alguma sem a exposição e a ação que o precedem. Não há venda sem história; não há nocaute sem preparação.

Ironicamente, ao longo dos últimos anos, a mesma tecnologia que possibilitou às marcas e empresas dar bons *jabs* – usar as mídias sociais para contar sua história engajando diretamente os clientes – também fez com que ficasse dez vezes mais difícil a tarefa de efetivamente atingir esses clientes e converter o contato em venda. Até as organizações que não demoraram a aderir às mídias sociais estão tendo retornos decrescentes sobre alguns de seus investimentos de tempo e energia. Enquanto se empenham em acertar esses *jabs* (e ainda há muito o que melhorar), as empresas também precisam se atualizar e aperfeiçoar suas técnicas de gancho de direita. Precisam prestar atenção ao contexto. Precisam ponderar o timing. Precisam começar a respeitar as plataformas e conhecer as nuances que as tornam interessantes.

No cerne da crise de qualidade do conteúdo está o fato de que muitos profissionais de marketing e pequenas empresas ainda não acreditam nas mídias sociais. Nem sequer as entendem. Eles marcam presença nas plataformas de mídia social, mas só porque perceberam que precisavam fazer isso se quisessem ser levados a sério. Embora a interação necessária nas mídias sociais seja como o oxigênio e a luz do sol para pessoas como eu e outras que criaram bons negócios nessas plataformas, muitos continuam céticos. Em público, alguns alegam que estão empolgados com a chance de engajar diretamente seus clientes; à boca pequena, suspeitam, e talvez até desejem com fervor, que o Facebook e seus derivados não passem de modismos. Isso porque a vida era muito mais fácil antes das mídias sociais. Se você fosse de uma grande empresa, bastava criar uma campanha como a dos homens das cavernas da seguradora de automóveis Geico, espalhá-la por todo lugar e simplesmente relaxar para ver o que acontecia. Você usava as mesmas imagens e ideias para a TV, a mídia impressa e os outdoors. Se os relatórios mostrassem que a campanha não tinha funcionado, você culpava a técnica de coleta de dados ou outro fator aleatório. Seis meses depois, independentemente de a campanha ter ou não dado certo, você a descartava e começava outra. Se fosse de uma microempresa, enviava alguns folhetos pelo correio, publicava um anunciozinho bonitinho nos classificados, botava um anúncio na estação de rádio local e esperava os clientes chegarem. Se fosse um grande pioneiro no final dos anos 2000, você fazia uma otimização para ferramentas de busca (SEO). Uau!

No entanto, se você realmente entende como o marketing funciona hoje, sabe que as campanhas individuais de seis meses deixaram de existir. Hoje, há apenas uma campanha de 365 dias, durante a qual você produz novos conteúdos diariamente. Você até pode ter criado três excelentes campanhas, mas roda todas elas ao mesmo tempo, escolhe uma plataforma diferente para cada uma e só usa aquela que conquistar a maior repercussão para desenvolver anúncios de TV. Agora, se você sabe o que faz, vasculha a internet todos os dias em busca de referências ao seu produto ou serviço para poder entrar na conversa ou corre para responder a uma reclamação no Twitter às 14h47. É mais difícil fazer a coisa certa nas mídias sociais, uma tarefa que requer mais tempo e empenho do que a maioria das pessoas imagina. E, apesar de os recursos da inteligência analítica ficarem mais precisos e sofisticados a cada dia que passa, até os melhores ganchos de direita às vezes podem demorar para apresentar provas quantificáveis de que foram eficazes (como quando você posta conteúdos com uma *call to action* pedindo às pessoas que comprem passagens de avião ou uma garrafa de vinho). Assim, embora a maioria dos profissionais de marketing e empreendedores esteja trabalhando com as mídias sociais, muitos ainda questionam o valor das plataformas e poucos as respeitam a ponto de investir o suficiente, financeira ou filosoficamente. É possível notar isso analisando a baixa frequência dos posts, a qualidade inferior do conteúdo, a falta de criatividade com que são abordadas as novas mídias mesmo quando elas ficam populares e, o pior de tudo, constatando a chocante ausência de empenho em demonstrar atenção e respeito a qualquer comunidade formada ao redor do negócio apesar de todas as falhas listadas anteriormente.

Veja como a maioria dos profissionais de marketing reage a uma nova plataforma: alguém lhes manda por e-mail um artigo dizendo que alguma plataforma, como o Snapchat, está bombando e eles vão ver do que se trata. Passam alguns minutos lá e veem um grupo de jovens bêbadas de 25 anos postando fotos de biquíni e textos dizendo coisas como "Passeando com o cachorro!", "Anchovas... é nóis!". Eles desprezam o site, dizem que é um desperdício de tempo e só voltam um ano depois, quando todo mundo, inclusive a tia deles, está usando a plataforma. Então fazem um grande anúncio para se vangloriar, como se chegar em último lugar fosse motivo de orgulho: "Olhem o que fizemos! Não é empolgante? Estão vendo como reagimos rápido às mudanças?". É vergonhoso. Esse tipo de coisa me irrita. (E também me dá uma alegria perversa, porque eles não têm noção de que estão criando uma grande vantagem para meus clientes, para meus amigos e para mim.)

Um empreendedor inteligente ou gestor de marca de mente aberta, contudo, daria uma olhada na nova plataforma, veria as fotos de biquíni e pensaria: "Como posso fazer melhor do que isso?". Ele passaria 12 meses obtendo pleno domínio da plataforma, e ao mesmo tempo iria tirando proveito dos relatos de blogueiros e jornalistas especializados sobre seu progresso e analisando sua estratégia, além de também se preocupar em ir atraindo os melhores talentos jovens, já que recém-formados normalmente gostam de trabalhar em organizações de vanguarda. Você pode pensar que, diante de todas essas vantagens, as marcas e pequenas empresas estariam correndo para sair na frente e se promover na plataforma, mas na maior parte das vezes o receio do fracasso, o medo de processos judiciais ou o que elas consideram falta de tempo suplantam seu senso de oportunidade. Elas jogam na defesa e não na ofensiva.

Agora, permita-me revelar meu segredo: embora eu entre logo nas ondas e não raro consiga me adiantar ao futuro, não sou nenhum Nostradamus, tampouco um Yoda. Sou apenas o tipo de pessoa que dá às novas plataformas o respeito que elas merecem. Não tenho como prever qual plataforma atingirá 20 milhões de usuários em um ano, mas, quando acho que isso vai acontecer, invisto meu dinheiro e tempo nela, sondando o terreno e testando novas fórmulas até descobrir a melhor maneira de contar minha história para o público da plataforma.

É inacreditável o número de profissionais de marketing que desprezam os hábitos de consumo de mídia de 5 milhões de pessoas. O fato de sua filha adolescente e os amigos dela estarem empolgados com uma nova plataforma não quer dizer que esta seja irrelevante para você ou para sua marca. Você pode não ver valor algum em compartilhar opiniões sobre esmalte de unhas, em postar uma foto toda vez que faz uma tatuagem nova ou em anunciar aos quatro ventos sempre que entra em uma lanchonete Wendy's, mas, quando 20 milhões de pessoas fazem isso, você precisa usar essa informação em seu benefício. Ignorar as plataformas que ganharam massa crítica é uma excelente maneira de se mostrar moroso e alienado. Não se apegue à nostalgia. Não coloque seus princípios acima da realidade do mercado. Não seja esnobe.

Você não conseguirá ser bem-sucedido nas mídias sociais se tiver medo das tecnologias emergentes. Quem passou um tempo no YouTube em 2006 viu um sem-número de idiotas misturando Mentos com Coca-Cola ou vestindo gatos com roupas ridículas. No entanto, assim como um pai sabe que o bebê que hoje esmaga um punhado de ervilhas para transformá-las em purê um dia vai crescer e usar garfo e faca, nós acreditamos que aquela plataforma ainda não tinha atingido sua plena maturidade ou potencial. Algumas pessoas viram apenas um site de distribuição de vídeos amadores, enquanto nós vislumbramos o futuro da TV. Quanto a mim, posso dizer que fiz experimentos e testei ideias para ver o que dava certo; criei uma abertura que lembrava um antigo programa de rádio para tornar meu canal mais memorável. Abordei o YouTube com o respeito digno de uma grande plataforma, assim como muitas outras pessoas que se transformaram em marcas de renome. (E elas não cometeram o enorme equívoco de abandonar o YouTube pelo Viddler em 2007, deixando de se beneficiar de milhões de visualizações gratuitas, como eu fiz. Até eu às vezes piso na bola!) Não fizemos nada mais do que levar a plataforma a sério e investir muita energia para descobrir como fazê-la trabalhar para nós, comprometendo-nos ao mesmo intenso processo de testes e observação que qualquer campeão do boxe faz antes de uma luta.

Um boxeador passa muito tempo analisando a própria técnica e o mesmo tempo analisando a técnica do adversário. Mesmo quando dois lutadores se encontram no ringue pela primeira vez, eles já se conhecem bem. Meses antes, além dos treinamentos regulares ao amanhecer na academia e no ringue de prática, os boxeadores passam centenas de horas estudando vídeos de lutas do oponente. Como cientistas comportamentais com uma forma física insana, eles analisam cada movimento e golpe, voltando e revendo repetidamente as gravações na tentativa de memorizar a técnica do adversário e, em particular, os tiques e hábitos que podem indicar que um golpe está por vir. Ele pisca antes de golpear com a direita? Hesita em voltar à luta depois de ser atingido com um cruzado? Abaixa as mãos quando se cansa? Quando finalmente chega o dia da luta, o boxeador leva consigo todas essas informações ao ringue, munido de uma estratégia calibrada com precisão para tirar proveito dos pontos fracos do adversário e proteger-se de seus pontos fortes, para usar suas melhores manobras e colocar-se em posição de vencer a luta.

Se, ao abordarem uma plataforma, os profissionais de marketing se dedicassem a elaborar suas histórias com a mesma intensidade que os boxeadores, eles criariam um conteúdo muito melhor. Como os excelentes lutadores, os excelentes contadores de histórias exercitam a observação e o autoconhecimento. Um excelente contador de histórias coloca-se em profunda sintonia com seu público. Ele sabe quando desacelerar para criar o máximo suspense e quando acelerar para obter um efeito cômico. Sente quando as pessoas estão se desinteressando e é capaz de ajustar o tom de voz ou até a história para reconquistar a atenção delas. O marketing na internet requer o mesmo tipo de conscientização do público, que podemos atingir graças às tremendas oportunidades de *data mining* que temos nas mãos. O feedback em tempo real possibilitado pelas mídias sociais permite que marcas e empresas testem e retestem, com precisão científica, o conteúdo capaz de cativar o público e aquele que deixa as pessoas indiferentes. Ignorar as profundas análises disponíveis para sua *fan page* no Facebook (e em breve em outras plataformas também) é o equivalente a entrar no ringue sem ter visto um único vídeo do seu adversário lutando.

QUAIS SÃO OS ELEMENTOS DE UMA EXCELENTE HISTÓRIA?

Uma excelente história de marketing é uma história que vende. É aquela que provoca emoções nos consumidores que os levam a desejar fazer o que você lhes pede que façam. Uma empresa de telefonia móvel quer motivar as pessoas a assinar seu serviço; a Disney quer instigar as pessoas a comprar passagens aéreas, reservar quartos de hotel e gastar em seus parques; uma organização sem fins lucrativos quer convencer as pessoas a fazer uma doação. Sua história é fraca se tudo o que faz é levar o cavalo até o rio; ela também precisa inspirar o cavalo a beber a água. Nas mídias sociais, a única história capaz de atingir essa meta é uma história contada com um conteúdo nativo.

O conteúdo nativo amplifica o poder da história. É trabalhado para se beneficiar de tudo o que faz com que uma plataforma seja interessante e valiosa para um consumidor: a estética, o design e o tom. Oferece o mesmo valor que os outros conteúdos que levam as pessoas àquela plataforma específica. O e-mail marketing foi uma forma de conteúdo nativo. Deu muito certo na década de 1990, porque as pessoas já estavam usando o e-mail; se você contasse sua história naquela plataforma e desse aos consumidores algo de valor, conquistava a atenção deles. E, se desse *jabs* suficientes para colocá-los em modo de compra, fechava a venda. As regras continuam as mesmas nos dias de hoje, em que as pessoas passam mais tempo nas redes sociais.

Não há como a plataforma lhe dizer qual história contar, mas ela pode lhe dar uma ideia de como seu consumidor quer ouvir sua história, quando quer ouvi-la e o que o levará a querer comprar de você. Por exemplo, supermercados ou restaurantes de fast food sabem, com base em dados de rádio, que um dos melhores momentos para veicular um anúncio é por volta das 17 horas, quando as mães estão pegando as crianças na escola e decidindo o que fazer para o jantar ou pensando se têm ou não energia para cozinhar. As mídias sociais lhe dão o mesmo tipo de insight. Os dados podem lhe dizer que você deveria postar no Facebook de manhã cedo, antes de as pessoas chegarem ao trabalho, e novamente ao meio-dia, quando elas param para o almoço. Quanto mais você aprender sobre os fatores psicológicos e os hábitos de seus consumidores de mídia social, maior será sua capacidade de contar a história certa no momento certo. A história ideal é não intrusiva, agrega valor para os usuários de uma plataforma e constitui um passo natural no percurso do consumidor a caminho de fazer uma compra.

Só você sabe o que sua história deve dizer. Em certo ponto, pode ser "Com nosso molho barbecue, você vai ganhar o primeiro lugar no concurso de culinária", mas depois talvez você decida que é mais importante contar a história de que "Nosso molho barbecue só usa ingredientes naturais produzidos na região". Como o MasterCard soube qual era o momento certo para a campanha "Não Tem Preço"? A Nike tentou uma série de histórias antes de atingir o sucesso com a campanha "Just Do It". Uma série de slogans pode funcionar, mas, no fim das contas, a história que deve ser contada pode mudar de um dia para o outro e até de uma hora para a outra. A história perfeita é elaborada com base no conhecimento íntimo de sua história e da história dos concorrentes e, cada vez mais, naquilo que você vê acontecendo no mundo e nos temas que interessam aos seus consumidores.

Seja qual for a história que decidir contar, mantenha-se sempre fiel à sua marca. Para contar histórias nativas, você não precisa mudar de identidade para se adequar a determinada plataforma; sua identidade permanece a mesma, não importa o que acontecer. Posso me comportar de um jeito ao fazer uma apresentação para um cliente em Washington, de outro ao esperar o trem para voltar para casa do trabalho e de outro ainda ao ver futebol com meus amigos à noite. Mas sou sempre o mesmo cara. Diferentes plataformas permitem realçar distintos aspectos de sua identidade de marca, e cada *jab* pode contar uma parte de sua história. Tente se divertir com isso. Um dos maiores erros que as grandes marcas cometem é insistir em manter exatamente o mesmo tom, seja qual for a plataforma que estiverem usando. Ao se apegarem a esse modelo ultrapassado, elas deixam passar um dos maiores benefícios da mídia social: sempre ter mais de uma opção.

Pequenas empresas e empreendedores terão mais facilidade de se beneficiar dessas opções porque não estão enterrados até o pescoço na burocracia típica das grandes organizações da *Fortune 500*. Enquanto os empreendedores e as startups são capazes de reagir facilmente ao feedback dos consumidores em tempo real, as grandes empresas costumam levar mais tempo para manobrar a gigantesca embarcação no mar. Devido ao porte menor de seus negócios, os empreendedores podem tomar decisões mais rápidas. Como não têm toda uma equipe de advogados analisando cada palavra, eles raras vezes perdem o humor. Conseguem manter a personalidade e seu lado humano, independentemente da plataforma na qual estão se expressando. Quando crescem, as startups, em geral, ficam excessivamente cautelosas e se agarram ao caminho mais seguro que encontram.

A DOCE CIÊNCIA

Os profissionais de marketing vivem me pedindo um guia de storytelling, um manual que determine o número ideal de *jabs* antes de lançar um gancho de direita. Isso não existe. O storytelling nas mídias sociais é uma ciência tão doce quanto o boxe e requer experimentação constante e horas de observação. Os melhores profissionais de marketing de conteúdo online dão especial atenção a variáveis como flutuações ambientais e mudanças demográficas. Em que horário temos o maior nível de resposta? O que acontece quando usamos gírias? Como a mesma imagem funciona com diferentes slogans? Fez alguma diferença incluir uma hashtag? As pessoas se engajam mais quando incluímos gifs animados? As respostas estão todas aí se você aprender a testar e interpretar corretamente os dados. É possível ver imediatamente quantas pessoas curtem um post no Instagram; quantos fãs compartilham e fazem comentários no Facebook; quem faz repins no Pinterest e quantas vezes; quantas pessoas reblogam e escrevem notas no Tumblr.

Pode ser difícil investir tempo e recursos nessas análises tanto para as pequenas como para as grandes empresas, mas é fundamental. Não basta fazer experimentos: você precisa fazer alguma coisa com os resultados deles. É assim que você encontra uma fórmula para orientar seu storytelling nessa plataforma. Essa fórmula, porém, deve ser tratada apenas como uma referência, porque, como qualquer boxeador, você não pode usar a mesma manobra repetidas vezes. Ao descobrir um ponto vulnerável do adversário, o lutador vai se concentrar em tentar atingi-lo ali. Entretanto, seu próximo oponente pode não ter medo de ser acertado naquele ponto, de modo que o boxeador terá de adaptar sua abordagem.

Da mesma forma, cada plataforma tem suas peculiaridades e requer uma fórmula especial. O que dá certo no Facebook não dará necessariamente certo no Twitter. Histórias contadas por fotos no Instagram não ressoam do mesmo jeito quando são contadas de modo idêntico no Pinterest. Postar o mesmo conteúdo no Tumblr e no Google+ é o equivalente ao turista que decide que, como não sabe falar norueguês, pode só falar islandês. Isso seria ridículo. As duas línguas têm raízes similares e são faladas por loiras altas e lindas, mas, tirando isso, são completamente diferentes.* Atualmente, para convencer as pessoas a ouvir sua história nas mídias sociais e ainda fazer algo a respeito, é preciso usar o idioma nativo da plataforma, prestar atenção ao contexto, entender as nuances e diferenças sutis que fazem com que cada plataforma seja única e adaptar o que se diz. A criação de um conteúdo memorável e eficaz nas mídias sociais móveis capaz de converter fãs em clientes envolve uma ciência. A hora de aprendê-la é agora.

Os ganchos de direita perfeitos de hoje sempre incluem três características:

1. Fazem uma *call to action* simples e fácil de entender.
2. São elaborados para o celular e todos os dispositivos digitais.
3. Respeitam as nuances da rede social para a qual o conteúdo foi criado.

---

* Espero que essa frase aumente minhas vendas na Islândia. Sempre tive o desejo maluco de ser um sucesso estrondoso nesse país.

Você encontrará neste livro outras dicas que poderão ajudá-lo a melhorar seus *jabs*, mas eu gostaria de tentar ensiná-lo a começar a desferi-los em lugares diferentes daqueles com os quais está familiarizado. Eu costumava falar sobre ir aonde as pessoas estão, porém os consumidores teriam de se desdobrar em umas 16 pessoas diferentes para acompanhar a multiplicidade de dispositivos e meios de comunicação que competem por sua atenção. A meta de todo profissional de marketing é atingir os consumidores no momento em que eles podem ser mais influenciados para comprar. Para isso, deve-se estar onde eles estão. É uma proposta difícil, considerando que o local em que as pessoas estão muda o tempo todo, mas é possível. De qualquer forma, seja qual for o lugar escolhido para encontrar seu cliente, é melhor chegar lá com uma história digna de um nocaute e com um conteúdo formidável.

SEGUNDO ROUND

CARACTERÍSTICAS DE UM CONTEÚDO ESPETACULAR E DE HISTÓRIAS FASCINANTES

A revolução da mídia social arrancou as chaves do reino cultural das mãos das autoridades e dos guardiões, dando voz às pessoas comuns. Contudo, o som de tanta gente falando ao mesmo tempo – opinando, debatendo, entretendo, instruindo e fazendo todas as outras coisas que as pessoas fazem para se expressar na internet – chega a ser opressivo. Para aumentarem as chances de serem vistas e ouvidas, muitas marcas e empresas reagem postando um fluxo constante e uniforme de novos conteúdos em suas redes sociais. No entanto, a equação da mídia social requer não só quantidade, mas também qualidade. Muito do conteúdo postado por organizações e celebridades não é mais inovador ou interessante do que um anúncio nos classificados. Podemos encontrar caminhões cheios de lixo nessas plataformas, tanto quando elas são jovens e as pessoas estão compulsivamente lançando conteúdo para todos os lados como quando são velhas e agem de acordo com a idade. Marcas e pequenas empresas querem se mostrar relevantes, engajadas e autênticas, mas, quando o conteúdo é banal e sem graça, elas só parecem chatas. O conteúdo só pelo conteúdo é inútil. Posts que não levam em consideração o tom, especialmente na forma de chamadas de marketing e promoções, não passam de desperdício de espaço e são, com toda a razão, ignorados pela maior parte do público.

Só um conteúdo excepcional é capaz de penetrar o ruído. Um conteúdo espetacular em geral pode ser identificado por seguir seis regras:

1. O CONTEÚDO É NATIVO

Embora as plataformas tenham funções que podem, por vezes, se sobrepor, cada uma delas cultiva uma língua, cultura, sensibilidade e estilo únicos. Algumas comportam muito texto, outras são mais adequadas para imagens e fotos. Algumas permitem hiperlinks, outras não. Essas diferenças não são negligenciáveis. Postar o tipo errado de conteúdo em uma plataforma condenará suas ações de marketing. Isso já deveria estar claro, mas, como você verá nos exemplos deste livro, diversas organizações simplesmente não se dão ao trabalho de aprender a linguagem nativa da plataforma antes de lançar seu conteúdo. As que o fazem, contudo, têm bons resultados. E o que dizer das empresas que realmente se aprofundam para conhecer as sutilezas e nuances da plataforma que não são muito claras para o usuário mais casual? Elas realmente brilham. Equivale à diferença entre uma pessoa que aprende uma nova língua para fazer um pedido em um restaurante e outra que é fluente a ponto de sonhar, xingar e fazer amor nesse idioma. As marcas e empresas que conhecem as plataformas fluentemente serão as mais notadas e valorizadas. Sempre foi assim. As pessoas esquecem que levou um bom tempo para que os anúncios na TV fossem tão convincentes e difundidos quanto são hoje. No começo, apenas algumas seletas famílias tinham acesso à televisão e mesmo assim elas só viam um sujeito de terno sentado a uma mesa anunciando os comerciais ou uma voz informando: "Este programa foi patrocinado por...". Nada muito convincente. Os anúncios de TV só começaram a impulsionar as vendas quando os televisores entraram em um número maior de lares e se tornaram uma fonte popular de entretenimento familiar. Mais especificamente, os anúncios começaram a funcionar quando alguns profissionais de marketing espertos descobriram como se dirigir aos consumidores de maneiras nativas à plataforma – por meio de histórias curtas e personagens evocativos. Os anúncios se tornaram parte intrínseca da experiência de ver TV. As pessoas cantarolavam os jingles indo para o trabalho ou enquanto passavam aspirador de pó na casa. As marcas viraram referências culturais e seus produtos – o amido de milho, a cera para assoalho e os jantares congelados – vendiam como água. Tudo porque os profissionais de marketing descobriram como criar um conteúdo visualmente atraente, narrativo e interessante, em anúncios que espelhavam o conteúdo já transmitido e que a audiência televisiva buscava naquela plataforma.

O conteúdo é rei, mas o contexto é Deus. Você até pode ter um bom conteúdo, mas, se ignorar o contexto da plataforma, o fracasso é quase certo. A maioria dos profissionais de marketing é indiferente ao contexto porque está focada em vender. No entanto, os consumidores não estão lá para comprar; eles estão lá em busca de valor. Esse valor pode assumir muitas formas: algumas vezes, a de um intervalo de alguns minutos para fugir do estresse de um dia difícil; outras, a de entretenimento, informação, notícias, fofocas sobre celebridades, amizades, um senso de conexão, a chance de se sentir popular ou uma oportunidade de se gabar. Os sites de redes sociais proporcionam uma injeção de dopamina e acionam os centros de prazer do cérebro. Seu conteúdo deve fazer o mesmo e ele fará isso se proporcionar o valor e os benefícios emocionais que as pessoas buscam quando recorrem à plataforma. Em outras palavras, o conteúdo será interessante se for nativo.

O que é um conteúdo nativo à plataforma? Depende. O Tumblr atrai a multidão mais ligada às artes e suporta gifs animados (loops de vídeos curtos). Um post de texto de uma empresa de design com os dizeres "Visite nossa página na internet para ver nossos designs premiados de mobiliário de escritório" seria um desperdício no Tumblr (na verdade, seria um péssimo post em qualquer plataforma). O mesmo pode ser dito de uma foto de baixa qualidade no Pinterest, plataforma que pede imagens perfeitas e de alta qualidade. O Twitter atrai um público irônico e urbano que adora hashtags. Um post sério como "Nós adoramos nossos clientes!" provavelmente seria profundamente ignorado. Pode parecer engraçado no contexto deste livro, mas posts como esses estão em toda parte, provando que a maioria das marcas ignora a linguagem nativa de uma plataforma.

Você já sabe que um bom marketing de mídia social requer desferir muitos *jabs* antes de converter a venda com um gancho de direita. Pode parecer absurdo, mas os *jabs* mais eficazes são, na verdade, os mais gentis. Eles são lançados com conteúdo nativo, que se funde à perfeição com as ofertas da plataforma e conta histórias que engajam o consumidor em um nível emocional. Para quem vê de fora, *jabs* com esse tipo de conteúdo não darão a impressão de uma preparação para aquele gancho de direita vendedor, mas na verdade são exatamente isso, porque o valor financeiro no longo prazo de uma pessoa sorrindo ou até chorando é inestimável.

O conteúdo nativo tem sido comparado a uma versão moderna dos informes publicitários (anúncios apresentados de modo a dar a impressão de ser uma reportagem) ou infomerciais (também conhecidos como programação paga ou teleshopping). Assim como o talk show que na verdade não é bem um talk show, e sim um lugar para vender panelas elétricas, ou o artigo que não é bem um artigo, e sim um texto apresentando um novo medicamento contra a dor nas articulações, o conteúdo nativo se parece exatamente com qualquer outro conteúdo postado na plataforma para o qual foi criado. As semelhanças, contudo, param por aí.

Infomerciais e informes publicitários em geral são ridicularizados por seu baixo valor de produção. São meio toscos. Às vezes, é justamente esse elemento grosseiro que leva à eficácia do anúncio. Por exemplo, é difícil desgrudar os olhos do apresentador de um canal de vendas na TV que anda de um lado para o outro na cozinha encenada, tagarelando com um colega, enquanto tira frangos assados do forno elétrico que eles estão tentando vender. No entanto, os informes publicitários e infomerciais clássicos raramente são sutis. Eles são repletos de ganchos de direita. São informativos e divertidos como um *jab*, mas estão lá para vender. Não importa se a marca coloca seu anúncio em uma tela de TV ou em uma revista, ela faz questão de incluir um número de telefone enorme e a URL embaixo. E, ainda que esses sinais óbvios não estivessem lá, todo o tom do anúncio é de um argumento de vendas. Os consumidores não teriam como evitar isso mesmo que tentassem.

O conteúdo nativo, por sua vez, quando bem-feito, não é grosseiro nem óbvio. Na verdade, é espetacular. Agora, qual é a fórmula para elaborar um conteúdo espetacular? Sei lá. Você sabe quando vê um. É aquele que atinge seu centro emocional com tanta intensidade que você tem de compartilhar com os outros. Pode ser uma citação, uma imagem, uma ideia, um artigo, uma história em quadrinhos, uma música, uma paródia, mas, seja o que for, diz muito sobre você, a pessoa que o compartilha, e também sobre a marca ou a empresa que o produziu. Não existe uma fórmula para elaborar um conteúdo espetacular. No entanto, não é possível criá-lo sem um profundo conhecimento do que motiva as pessoas e do que elas buscam quando usam uma mídia social específica.

A criação de um conteúdo nativo espetacular tem pouco a ver com a venda e muito com um storytelling bem-feito. Em mãos certas e experientes, uma marca capaz de dominar o conteúdo nativo torna-se humana nas mídias sociais. Embora, claro, os posts das sopas Campbell's no Facebook provavelmente sejam muito diferentes dos posts da sua mãe, eles precisam dar a impressão de ser algo que uma pessoa real – um amigo, um conhecido ou um especialista – escreveria. Quando o conteúdo nativo é bem elaborado, ele será consumido com o mesmo interesse que seria dedicado ao conteúdo de qualquer outra pessoa. Isso porque, ao contrário da maioria das táticas de marketing enfiadas goela abaixo dos consumidores no passado, uma boa mídia social nativa tenta melhorar a interação do consumidor com a plataforma e não distraí-lo.

Entendeu a diferença? Para ver mais exemplos, dê uma olhada nos comentários no final dos capítulos (ou rounds) 3 a 7.

NATIVO	NÃO NATIVO
Burberry no Instagram	Vans no Instagram
burberry — 2 sem Céu carregado no Mall, em #Londres hoje à noite, 15 °C | 59 °F	Vans — 20 sem O último dos quatro calçados da coleção Vans × Metallica. O design dessa alpargata foi criado por Kirk Hammet; veja os outros em vans.com/metallica

NOCAUTE

NATIVO

Bud Light no Facebook

Bud Light
Prepare-se… – com Chelsea Nicole Johnson, Cory Ellis, Verna Sarracino, Michelle Arnold, Johnathon Bell, Roberto Lopez Alamo, Heather Heaphy, Billie Williams, Deejaygeo Deejaygeo Cardoza, Ashley Shreve, Alex de Leon, Bobby Bryan, Jorge Galvan Ibarra, Britany Jolicoeur, Sombat Kosonwadhana e Mary Ward
Curtir • Comentar • Compartilhar • 9 de junho

Vila Sésamo no Tumblr

Ar nham nham!
10.067 notas
Publicado na terça-feira, 28 de maio
Tags: **vila sésamo come-come gif a pronúncia é ar nham nham**

NÃO NATIVO

Best Buy no Facebook

Best Buy
Ei, fãs do Pop Evil! Comprem o novo álbum deles, Onyx, por apenas US$ 7,99 com este cupom nas lojas ou na internet com o código promocional POPEVILSAVE2BBY
http://bit.ly/PopEvilOnyx
Curtir • Comentar • Compartilhar • 14 de maio

Sharpie no Tumblr

5 cores. Brilham com luz negra. E cada um vem com um marcador Sharpie Neon GRÁTIS combinando. É tudo de bom. Agarre o seu!

Tags: colar da baublebar sharpie Neon grátis novo novas cores brilha no escuro tinta brilhante marcadores marcadores sharpie

2. O CONTEÚDO NÃO INTERROMPE

O Tony dos Sucrilhos, o coelho dos cereais Trix, o Chester Cheetah do Cheetos e o Ronald McDonald competem entre si com exclamações empolgadas das vantagens do produto que estão vendendo. Todos esses personagens foram criados para entreter, de modo que, da próxima vez que estiver com vontade de comer um cereal matinal ou fazer um lanche, você se lembre do anúncio divertido e seja levado a experimentar o produto. As mandíbulas de aço e o olhar distante do Marlboro Man foram criados para convencê-lo de que, se você fumar o mesmo cigarro que ele, também poderá exalar um pouco daquela masculinidade e independência. Os anúncios e o marketing visam fazer com que os consumidores sintam algo e tomem uma atitude em relação a esse sentimento. Assim, o conteúdo que os profissionais de marketing criam hoje é similar ao de 50 anos atrás. A diferença, contudo, está no modo como o conteúdo afeta a experiência de mídia do consumidor, ou melhor, deixa de afetá-la. Apesar de ser o tipo forte e silencioso, o Marlboro Man nunca deixou de ser um intruso. As pessoas estavam vendo *Bonanza* na TV e lá vinha ele, interrompendo a programação para vender cigarros. E, como se isso não bastasse, surgiam também anúncios de Pinho Sol, Colgate ou Limpol.

Por mais que os anúncios fossem bons, havia uma distinção clara entre o programa ao qual as pessoas estavam assistindo e o anúncio. Hoje em dia, porém, as marcas e empresas não precisam ser intrusas no entretenimento dos consumidores. Na verdade, é fundamental evitar esse tipo de intrusão. As pessoas não têm mais paciência para isso, como prova a velocidade com que agarraram a chance de pular completamente os anúncios com o advento dos gravadores de vídeo no final dos anos 1990 e outros dispositivos. Se quisermos ter um diálogo com elas enquanto consomem entretenimento, temos de efetivamente nos transformar no entretenimento, fundindo à perfeição nosso conteúdo com a experiência de se entreter. Ou com a de se informar sobre as notícias. Ou com a de socializar com os amigos e a família. Ou com a de interagir nas redes sociais. Ou com a proporcionada por um design. Seja qual for a experiência que as pessoas buscam em suas plataformas preferidas, é isso que os profissionais de marketing devem tentar replicar. Elas podem não estar em modo de compra hoje, mas nunca se sabe o dia de amanhã, e haverá muito mais chances de que comprem uma marca que as entende e que representa seus valores do que uma marca com a qual elas não têm vínculo emocional algum.

3. O CONTEÚDO NÃO FAZ (MUITAS) EXIGÊNCIAS

O publicitário Leo Burnett deu o seguinte conselho para elaborar um conteúdo espetacular:

Simplifique.
Torne memorável.
Crie uma aparência convidativa.
Faça com que seja divertido de ler.

Vou acrescentar mais uma diretriz: faça para seu cliente ou para seu público, não para si mesmo.

Seja generoso. Seja informativo. Seja engraçado. Seja inspirador. Seja tudo aquilo que valorizamos nos outros seres humanos. Essa é a essência dos *jabs*. Os ganchos de direita representam o que *você* valoriza – fechar a venda, atrair as pessoas para a loja. Os *jabs* representam o que *o consumidor* valoriza. Como você sabe qual conteúdo as pessoas valorizam? Dê uma olhada no smartphone delas. As telas iniciais do celular mostram tudo o que você precisa saber sobre o tipo de conteúdo que as pessoas valorizam. Em geral, as três categorias de apps mais populares são:

a. Redes sociais, que mostram que as pessoas têm interesse em outras.
b. Entretenimento, incluindo jogos e apps de música, que mostram que as pessoas querem uma fuga.
c. Utilitários, incluindo mapas, blocos de notas, agendas e sistemas de administração de perda de peso, que mostram que as pessoas valorizam os serviços.

Grande parte de seu conteúdo deve se enquadrar em uma dessas três categorias. Em certas circunstâncias, fica claro o tipo de *jab* que uma empresa deve desferir. Uma fabricante de cosméticos pode tranquilamente contar uma história sobre a utilidade de seus produtos oferecendo aos clientes vídeos curtos (de menos de 15 segundos) no Facebook sobre como aplicar de maneira correta uma maquiagem ou postando um infográfico no Pinterest que ilustre fatos interessantes sobre a história de um produto e como as mulheres o usaram ao longo do tempo. Mas como proporcionar entretenimento? Se a empresa estiver vendendo para consumidoras de 18 a 25 anos, uma ideia é postar demos de uma nova canção da qual mulheres dessa faixa etária gostam e desconstruir a maquiagem que as cantoras usam no palco, talvez exaltando a ousadia delas e explicando como é possível conseguir o mesmo efeito em casa. E como a empresa pode se beneficiar do desejo de suas clientes de interagir com as pessoas? Basta mostrar seu lado humano. Ela precisa entrar em conversas, encontrar interesses em comum com as consumidoras e reagir ao que as pessoas estão dizendo não apenas sobre a marca em si, mas sobre temas relacionados, como de que modo como as mulheres podem disfarçar sinais de cansaço e estresse antes de uma grande apresentação, mesmo quando elas ficaram acordadas até as três da manhã com o bebê, ou qual idade é apropriada para as jovens começarem a fazer design de sobrancelhas. A empresa pode, ainda, falar sobre temas não relacionados. O simples fato de seu carro-chefe ser maquiagem não significa que não possa falar também sobre jogos ou comida, porque muitas mulheres curtem esses temas. Os *jabs* podem ser qualquer coisa que ajude a preparar o terreno para seu "pedido comercial".

Quando você desfere um *jab* preciso com conteúdo nativo, talvez seu cliente leve uma fração de segundo para perceber que a história está sendo contada por uma marca, não por uma pessoa. No entanto, se seu conteúdo for espetacular, ele não vai se irritar com isso. Ao contrário, dará valor à sua oferta. Isso porque, quando desfere os *jabs*, você não está vendendo nada. Não está pedindo que seu consumidor se comprometa com nada. Só está compartilhando um momento juntos. Algo engraçado, ridículo, inteligente, dramático, informativo ou reconfortante. Talvez algo que tenha a ver com gatos. Enfim, qualquer coisa que não seja um argumento de vendas. Um storytelling habilidoso e nativo aumenta as chances de alguém compartilhar seu conteúdo com um amigo, aumentando, desse modo, as chances de o amigo se lembrar de sua marca da próxima vez que decidir que precisa de seu produto. Pode até aumentar as chances de que, quando você finalmente desferir um gancho de direita em sua consumidora e lhe pedir para comprar um de seus produtos, ela faça a compra imediatamente, mesmo que esteja com a cabeça no secador de cabelos do salão de beleza (este momento só é possível graças à generosa contribuição de fabricantes de smartphones do mundo todo).

O vínculo emocional que você cria com os *jabs* se paga no dia em que decidir dar seu gancho de direita. Lembra-se de quando era criança e pedia que sua mãe o levasse para tomar sorvete ou jogar fliperama? Em nove de cada dez vezes ela disse não. Mas, de vez em quando, do nada, disse sim. Por quê? Nos dias ou semanas que antecederam o acontecimento, algo no modo de você interagir com ela a levou a lhe fazer um agrado. Você a deixou feliz ou talvez orgulhosa, dando-lhe alguma coisa que ela valorizava, seja ajudando a arrumar a casa, seja tirando boas notas, seja apenas lhe proporcionando um dia de paz sem brigar com seu irmão. Você lhe deu tanto que, quando pediu, ela estava emocionalmente preparada para dizer sim.

Um consumidor jamais lhe dirá sim se você o emboscar com um pop-up gigante bloqueando toda a página da internet que ele estiver tentando ler. A única coisa que ele vai sentir é irritação enquanto procura freneticamente aquele pequeno X no canto para fazer você sumir. Se os consumidores pudessem exterminar todos os banners piscando ao redor das páginas da internet, eles o fariam. Ninguém quer ser interrompido. Ninguém quer um vendedor de plantão pronto para saltar à sua frente a cada esquina. Sua história precisa criar um apelo emocional às pessoas e conquistar a boa vontade delas, de modo que, quando você finalmente lhes pedir que façam uma compra, elas sentirão que já ganharam tanto que seria quase uma grosseria recusar.

Jab, jab, jab, jab, jab... gancho de direita! Ou...

Dar, dar, dar, dar, dar... pedir.

Sacou a ideia?

4. O CONTEÚDO USA A CULTURA POP

O filme *Bem-Vindo aos 40* tem uma ótima cena na qual os pais dizem às filhas que vão eliminar o Wi-Fi em casa para que todos possam interagir mais sem a distração de celulares e tablets. Para a família se divertir, eles sugerem construir um forte, correr pelo mato ou montar uma barraca de limonada. As meninas não fazem ideia do que os pais estão falando. Para elas, viver sem celular é como estar condenadas à prisão perpétua na solitária, e elas fazem de tudo para recuperar sua antiga vida conectada.

Não é fácil. Gerações inteiras são definidas pela cultura pop, e sem ela as pessoas ficam perdidas. Tire a tecnologia de um garoto e você corta sua conexão com tudo o que importa para ele. Antigamente, os jovens se encontravam com os amigos na lanchonete e ouviam discos de vinil. Tempos depois, iam ao shopping e ouviam fitas cassetes. Mais tarde, ficavam no estacionamento de uma loja de conveniência e ouviam CDs. Agora, encontram-se no celular, ao mesmo tempo que ouvem músicas baixadas da internet, se informam das últimas notícias das celebridades, conversam com os amigos, jogam... tudo no smartphone e no tablet. E seu conteúdo concorre com tudo isso. No entanto, como diz o ditado, se você não pode vencê-los, junte-se a eles. A geração jovem também não é a única que está consumindo cultura pelo celular. Todo mundo tem feito isso, inclusive quem costumava ouvir música em discos de vinil, fitas cassete e CDs. Use esse fato a seu favor. Mostre a seus fãs, sejam eles quem forem, que você curte a mesma música que eles. Prove que você os entende ficando por dentro das fofocas sobre as celebridades da geração deles. Crie um conteúdo que revela que você está a par dos assuntos e notícias que mais lhes interessam. Não se limite a colocar o conteúdo em um banner. Os dias de impedir as pessoas de fazer o que estão fazendo para ver seu anúncio estão, na melhor das hipóteses, fadados ao fim. De toda maneira, essa tática passou a ser cara demais, levando em conta o retorno sobre o investimento gerado. Integre seu conteúdo ao fluxo, para que as pessoas possam consumi-lo juntamente com todos os outros quitutes da cultura pop.

5. O CONTEÚDO É MICRO

Outra coisa que você pode fazer ao reavaliar sua veia criativa nas mídias sociais é parar de pensar em seu conteúdo como conteúdo. O melhor é pensar neles como microconteúdo: pequenas e singulares pepitas de informação, humor, comentários ou inspiração que você reimagina a cada dia, e até a cada hora, ao reagir à cultura, às conversas e aos fatos e notícias em tempo real na língua e no formato nativos de uma plataforma.

Um exemplo famoso (pelo menos nos círculos da publicidade) e perfeito de microconteúdo praticamente roubou a cena em uma partida de futebol americano do Super Bowl de 2013. Quando faltou luz no Superdome no terceiro tempo, deixando milhares de espectadores no escuro por uma hora e meia enquanto os jogadores do Baltimore Ravens e do San Francisco 49ers faziam exercícios de aquecimento para manter o corpo flexível e a cabeça no jogo, a marca de biscoitos Oreo viu uma oportunidade. A empresa tuitou: "Acabou a luz? Sem problema". Junto vinha a foto de apenas uma parte de um solitário biscoito Oreo no escuro, com um texto que dizia algo como "Mesmo no escuro, você pode mergulhar seu biscoito no leite". De repente, todas aquelas pessoas no limbo, esperando a luz voltar e o jogo recomeçar, tiveram um lembrete divertido de que Oreo é um biscoito para todas as ocasiões. O tuíte não exortou ninguém a comprar Oreos. Não incluiu qualquer *call to action*. Nem precisou. Em questão de minutos, a mensagem foi compartilhada dezenas de milhares de vezes no Twitter e recebeu um número similar de curtidas no Facebook. Por quê? Ninguém nunca tinha visto algo parecido. Uma coisa é um fã dos Ravens ou dos 49ers tuitar ou postar atualizações de status narrando suas opiniões sobre o jogo; já estamos acostumados a ver pessoas reagindo a eventos em tempo real em todo o mundo. Mas ver uma marca fazer a mesma coisa de um jeito tão casual e natural como faria uma pessoa de verdade? Foi uma grande novidade para uma marca voltada para um mercado tão gigantesco no contexto de um evento tão popular. O tuíte só foi possível porque a Oreo tinha se adiantado a ponto de ter uma equipe de mídia social de prontidão para alavancar qualquer acontecimento na TV. Isso é que é um bom investimento em uma plataforma. A chave para o sucesso do anúncio não foi apenas o fato de ser inteligente e elegante, mas também o de se alinhar à perfeição com a identidade da marca Oreo e com a identidade dos fãs de Oreo no mundo todo. Oreo é o biscoito lúdico, o biscoito divertido, o biscoito que você quer comer enquanto assiste a um jogo de futebol.

Será que o microconteúdo ofereceu aos consumidores algo de valor, como um bom *jab* deveria? É pouco provável que ele tivesse chamado a atenção se não fosse o caso. Não subestime o valor de uma surpresa divertida, um sorriso e um repentino desejo de comer chocolate com gordura vegetal. Por alguns dias, o mundo inteiro, na mídia tradicional e nas sociais, se rasgou em elogios à Oreo. No mínimo, todos que viram o tuíte tiveram a chance de dizer que testemunharam o início de uma nova era do marketing.

Da próxima vez que uma marca se engajar em tempo real, será que o Twitter vai bombar? Provavelmente não, e é por isso que vale a pena ser o primeiro a marcar presença, mesmo em plataformas que, à primeira vista, não parecem ter grande valor. Seu trabalho como profissional de marketing não se limita a vender mais produtos (embora isso seja uma prioridade... não se esqueça disso), mas cada vez mais inclui ser o primeiro a marcar presença com a maior frequência possível em termos de timing, da qualidade de seu microconteúdo e da originalidade com a qual você reage ao mundo ao seu redor. Isso vale para qualquer plataforma, do Twitter ao Facebook, do Instagram ao Pinterest.

A estratégia da Oreo no Super Bowl exemplifica a única fórmula para o sucesso nas mídias sociais que não muda segundo a plataforma e/ou o público:

Microconteúdo + Gestão da comunidade = Marketing de mídia social eficaz

Algumas pessoas não se impressionaram com o tuíte. Afinal, é só uma plataforma sendo usada do jeito que ela foi criada para ser usada! Só que são tão poucas as empresas capazes de fazer isso que vale a pena aplaudi-las de pé quando são bem-sucedidas. Aquele tuíte envolveu muito planejamento. A

Oreo tinha uma equipe montada, observando e esperando a primeira oportunidade de atacar. A Old Spice conseguiu sucesso semelhante anos atrás com sua campanha "The Man Your Man Could Smell Like" (o homem cujo cheiro seu homem poderia ter), na qual o ator Isaiah Mustafa respondia a perguntas dos consumidores em tempo real na internet. Aquela sessão de perguntas e respostas, porém, foi o resultado de uma campanha meticulosamente orquestrada. A Oreo tinha um anúncio de TV rodando durante o Super Bowl (e uma conta de Instagram integrada), mas não tinha qualquer outro plano além de se posicionar para reagir a eventos em tempo real, assim que acontecessem. Não é tarefa fácil, e eles a executaram à perfeição, mantendo as coisas simples, imediatas e relevantes.*

As empresas podem estabelecer uma conexão direta entre sua comunidade e a marca quando param de pensar na mídia social como mero pano de fundo para os principais eventos. As ações nas mídias sociais devem ser o principal evento, atuando como o centro que liga todos os outros canais pelos quais elas interagem com seus clientes.

Os profissionais de marketing não precisam elaborar campanhas de mídia social abrangentes todo ano. As campanhas de todas as empresas e marcas deveriam ser simples assim:

Lance *jabs* o tempo todo, todos os dias.

Fale sobre o que as pessoas estão falando.

Quando elas mudarem de assunto, mude também.

Repita.

Repita.

Repita.

Nem todas as marcas precisam desferir *jabs* com a mesma frequência que os concorrentes. Lembre-se: qualidade *e* quantidade. Algumas marcas conseguem isso com apenas alguns *jabs* aqui e ali; outras têm de lançar *jabs* o tempo todo. Hoje em dia não preciso mais desferir *jabs* com a mesma frequência de quando eu estava começando. A BP não precisa desferir *jabs* com a mesma frequência da época do vazamento de petróleo da plataforma Deepwater Horizon em 2010. A Apple provavelmente não precisou desferir nenhum *jab* no auge do frenesi do iPhone, quando o produto ainda era novo. Um bom storytelling cria *brand equity* e empresas com alto *brand equity* não têm de chamar tanto a atenção para si mesmas e suas realizações quanto empresas que ainda estão consolidando seu valor aos olhos do consumidor. No entanto, mesmo que não precise lançar *jabs* com frequência, você nunca deve parar completamente, nem, sem dúvida, deixar

---

* Visite o site www.garyvaynerchuk.com/oreotalk para ver um vídeo gratuito de 1 hora da equipe que criou a campanha e de minha fala em um painel da conferência SXSW de 2013.

de buscar aquelas oportunidades especiais quando sua marca pode se beneficiar das últimas notícias ou da cultura em geral para provar sua relevância ou mostrar que está prestando atenção. O marketing social passou a ser um trabalho constante, 24 horas por dia, 7 dias por semana.

6. O CONTEÚDO É COERENTE E AUTORREFERENTE

Todo novo post, tuíte, comentário, curtida ou compartilhamento confirma a identidade de sua empresa ou marca. Embora seu microconteúdo possa variar muito de um dia para o outro, ele precisa responder, sistematicamente, à pergunta: "Quem somos nós?". Você pode e deve aprender a falar o maior número possível de idiomas, mas, independentemente do idioma que estiver usando no momento, sua história central tem de permanecer constante. E não importa como você conta sua história: sua personalidade e a identidade da marca também devem permanecer constantes.

Pessoas, marcas e empresas autoconscientes conhecem a própria mensagem. Quando você conhece sua mensagem, é fácil mantê-la coerente em qualquer contexto. Nenhum profissional de marketing deveria se deixar intimidar por esse conceito. Afinal, é o que fazemos todos os dias ao navegar no mundo analógico. Quando vai tomar chá com sua avó, você usa uma roupa diferente de quando está curtindo uma balada com os amigos – pelo menos fará isso se tiver boas maneiras. A criação do microconteúdo não passa de um jeito de sua marca se adaptar às circunstâncias e aos caprichos do público. O microconteúdo é a melhor chance de sua marca ser notada em um mundo cada vez mais agitado, desconexo e portador de um déficit de atenção generalizado.

Quando você cria um conteúdo espetacular, nativo do contexto de uma plataforma, é capaz de fazer uma pessoa sentir; se seu conteúdo é capaz de fazer uma pessoa sentir, ela provavelmente vai compartilhar o conteúdo, estendendo seu boca a boca por apenas uma fração do custo da maioria dos outros meios de comunicação. Melhor ainda, você acaba sendo o "dono" não só do conteúdo, mas também do relacionamento com seu cliente. Você não precisa desembolsar US$ 1 milhão para alugar meros 30 segundos do tempo de seu cliente em uma rede de televisão. Você pode gastar US$ 1 milhão para conquistar fãs no Facebook, e esse seria um dinheiro bem gasto, mas, se também souber contar uma boa história do jeito certo, o único custo adicional será o pagamento de seu pessoal criativo. Seu conteúdo simplesmente ganha vida própria, sendo replicado várias vezes enquanto seus fãs e seguidores o compartilham pelo boca a boca, reduzindo seus custos a cada retuíte, compartilhamento, repin, curtida e post. O conceito de ser o dono do conteúdo e dos relacionamentos em vez de alugá-los teve grande impacto sobre os empreendedores de startups do Vale do Silício, mas levou mais tempo para fazer sentido para a maioria das companhias da *Fortune 500* e pequenos empreendimentos tradicionais ao redor do mundo. Isso vai mudar quando essas empresas perceberem que não dependem mais da grande mídia para divulgar seu conteúdo e se conectar com os consumidores. Graças às redes sociais, elas serão capazes de fazer isso por conta própria. Algumas já estão fazendo, como veremos nos próximos capítulos.

TERCEIRO ROUND

CONTANDO HISTÓRIAS NO FACEBOOK

- Fundado em fevereiro de 2004.
- A plataforma se chamava Thefacebook.com até agosto de 2005.
- Conforme um levantamento de 2006, das cinco coisas mais badaladas em *campi* universitários, o Facebook empatou com a cerveja, mas perdeu para os iPods.
- O botão "Curtir" foi originalmente concebido para ter o nome "Incrível".
- Mark Zuckerberg rejeitou o compartilhamento de fotos de início; ele teve de ser convencido do contrário pelo então CEO Sean Parker.
- O Facebook já tinha mais de 1,65 bilhão de usuários ativos mensais no primeiro trimestre de 2016.
- Havia 1,5 bilhão de usuários ativos mensais de produtos móveis do Facebook no primeiro trimestre de 2016.
- Uma em cada cinco páginas vistas nos Estados Unidos está no Facebook.
- E no Brasil? Há 99 milhões de usuários ativos mensais e 89 milhões de usuários ativos móveis – 8 em cada 10 brasileiros conectados estão no Facebook.

O que mais poderia ser dito sobre o Facebook? Todo mundo sabe o que é e o que faz. Todo mundo sabe que é a maior e mais incrível rede social do planeta, que revolucionou nossa cultura tanto quanto a televisão.

Apesar de ainda encarar a maioria das outras plataformas de mídia social com ceticismo, microempresários, profissionais de marketing e gerentes de marca consideram o Facebook uma ferramenta de marketing legítima, embora, estranhamente, não pelo fato de oferecer as análises mais sofisticadas disponíveis. Na verdade, eles confiam no Facebook porque é difícil descartar uma plataforma por ser tão nova, ou tão experimental, ou tão moderna quando sua sobrinha, seu irmão, seu pai de 70 anos e mais de 1,6 bilhão de pessoas estão no Facebook. A familiaridade leva à aceitação. Só os mais obstinados, a maioria deles empresas B2B ou apenas "do contra", questionam se os clientes realmente estão no Facebook e se vale a pena marcar presença ali.

Seria de esperar que, se essa é a plataforma mais familiar às pessoas, ela também seja a que requer menos explicações. No entanto, este capítulo acabou sendo o mais longo deste livro, porque, apesar de a maior parte dos profissionais de marketing acreditar que conhece o Facebook, não é o que acontece. Se fosse, os consumidores estariam vendo um conteúdo muito diferente, não só no Facebook, mas em todas as plataformas. Por enquanto, contudo, a maioria das marcas e empresas ainda não percebeu o insight sem precedentes que o Facebook proporciona para nos ajudar a desvendar a vida e os fatores psicológicos das pessoas, um insight que possibilita aos profissionais de marketing otimizar todos os *jabs*, todos os microconteúdos e todos os ganchos de direita.

Por que uma pessoa acessa o Facebook? Para se conectar, socializar e saber o que os amigos e conhecidos estão fazendo. No processo, ela também fica sabendo o que os outros estão lendo, ouvindo, vestindo e comendo, as causas que estão defendendo, as ideias que estão incubando, o emprego que estão ambicionando e onde estão indo. O Facebook quer que os usuários vejam coisas que consideram relevantes, divertidas e úteis, pois, do contrário, eles podem abandonar o site. Isso significa que é melhor você também criar um conteúdo relevante, divertido e útil.

Agora, se fosse assim tão fácil, este capítulo seria bem curto. Bastaria contratar uma equipe criativa excelente, fazer um conteúdo melhor, e o sucesso estaria garantido. O problema é que existem três forças que têm dificultado até para o pessoal criativo mais talentoso lançar organicamente um conteúdo espetacular no Facebook: as massas, a evolução das massas e a reação do Facebook à evolução das massas.

A mesma coisa que faz com que empresas e marcas queiram marcar presença no Facebook – o número enorme de usuários – torna a plataforma um desafio de marketing. Mais de 1,6 bilhão de usuários, e tudo o que eles geram, criam um dilema: com tanto conteúdo fluindo para o Feed de Notícias e competindo por atenção, é pouco provável que as pessoas vejam o conteúdo que você postar, mesmo que seja bom.

Além disso, os usuários são humanos. Eles envelhecem e amadurecem. Crescem, rompem relações, têm filhos, largam o violão, começam a praticar esgrima ou viram vegetarianos. O usuário que se tornou seu fã em 2010 não será o mesmo em 2020. No entanto, apesar de ter mudado, ele provavelmente nunca pensou em voltar e deletar as informações desatualizadas sobre seus gostos e preferências no Facebook. Sempre vamos seguir mais pessoas e marcas do que precisamos. Podemos ter deixado de assistir a certo programa de TV e de acompanhar determinado ator, mas não paramos de seguir suas páginas à medida que avançamos na vida. Conforme esses interesses passados desaparecem da nossa consciência, esperamos que eles também desapareçam das nossas páginas e dos nossos feeds de notícias.

O Facebook sabe disso. Há muito tempo, quando os universitários constituíam a maior população do Facebook e o pool de usuários era relativamente pequeno, os Feeds de Notícias eram organizados cronologicamente. No entanto, à medida que a base de usuários foi crescendo – e crescendo, e crescendo... –, o Facebook precisou encontrar uma forma de evitar que o acúmulo de mensagens que tinham perdido a importância para eles. O Facebook não queria ser o Twitter, com uma torrente de conteúdo vindo de qualquer pessoa, organização e marca pelas quais um dia manifestamos interesse, mas um curador do nosso Feed de Notícias, garantindo que a maior parte do conteúdo fosse sempre importante e relevante para nós. Para ajudar a amenizar as consequências do excesso de informações, o Facebook adotou um algoritmo chamado EdgeRank. Toda interação que uma pessoa tem no Facebook, como postar uma atualização de status ou uma foto, curtir, compartilhar ou comentar, é chamada de "*edge*" e teoricamente cada post abre um canal para um novo fluxo de notícias. No entanto, nem todo mundo que pode ver esses posts efetivamente os visualiza, porque o EdgeRank está continuamente interpretando as borras de café algorítmicas no fundo da xícara para decidir quais posts são mais interessantes para o maior número de pessoas. O algoritmo controla todo o engajamento que o conteúdo de um usuário recebe, bem como o engajamento do usuário com o conteúdo de outras pessoas ou marcas. Quanto mais o usuário se engaja com um conteúdo, mais o EdgeRank acredita que ele terá interesse em um conteúdo semelhante, e o algoritmo filtra o fluxo de notícias da pessoa com base nisso (uma função de escolha aleatória garante que, ocasionalmente, veremos um post de alguém com que passamos anos sem conversar, mantendo, desse modo, o Facebook estimulante e surpreendente). Por exemplo, o EdgeRank garante que um usuário que costuma curtir ou comentar as fotos de um amigo e ignora as atualizações de status dele compostas só de texto verá mais fotos desse amigo e menos atualizações de status. Todo engajamento, seja entre amigos, seja entre usuários e marcas, reforça o vínculo entre eles e as chances de o EdgeRank exibir um conteúdo relevante desses amigos e marcas no topo do Feed de Notícias do usuário. E é nessa posição, naturalmente, que você quer ver sua marca ou empresa.

Por isso, nunca foi tão importante produzir um conteúdo de alta qualidade com o qual as pessoas efetivamente queiram interagir. Afinal, a visibilidade futura de uma marca na plataforma depende dos níveis atuais de engajamento dos clientes (e logo essa tendência se difundirá a todas as outras plataformas também). Infelizmente, o engajamento que os profissionais de marketing mais querem ver – uma venda fechada – não é o engajamento mensurado pelo algoritmo do Facebook, e, portanto, não é o engajamento que, no fim das contas, afeta a visibilidade. Mais do que qualquer outra coisa, as marcas e empresas querem que os usuários reajam a seus ganchos de direita. É por isso que saem por aí desferindo tantos ganchos. O que elas não percebem, contudo, é que no Facebook é a reação do usuário a um *jab* que mais importa.

Isso acontece porque, usando o EdgeRank, o Facebook pondera curtidas, comentários e compartilhamentos, mas no momento não atribui um peso maior aos cliques ou a outras ações que levam a vendas. Para o EdgeRank, na verdade, é irrelevante se um dia você vendeu ou não um produto ou serviço. A maior prioridade do Facebook está em oferecer uma plataforma valiosa para o consumidor e não para você, profissional de marketing. O Facebook se importa com o fato de as pessoas estarem interessadas no conteúdo que elas veem na plataforma, porque, se tiverem o interesse sempre renovado, elas voltarão. Quais fatores podem comprovar o interesse? Curtidas, comentários, compartilhamentos e cliques... não compras. Você poderia postar um conteúdo e incluir um link para a página do seu produto que acumula US$ 2 milhões em vendas em meia hora. O Facebook notaria o maior interesse e o algoritmo o colocaria em destaque nos Feeds de Notícias dos seus fãs atuais. No entanto, os cliques em links não criam histórias, de modo que, se ninguém compartilhar, curtir ou comentar seu conteúdo, ele atingirá sua comunidade atual, mas o Facebook não o considerará interessante o suficiente para exibi-lo a um grande número de pessoas fora de sua comunidade. Se você quiser a exposição de seu conteúdo, não basta que as pessoas leiam seu artigo ou comprem seu produto. Você precisa engajá-las para disseminar o conteúdo. No Facebook, a definição de um conteúdo espetacular não é aquele que fecha o maior número de vendas, mas aquele que as pessoas mais querem compartilhar.

Infelizmente para os profissionais de marketing, como acontece em todas as plataformas que não podem ser testadas em um ambiente controlado, ainda é difícil traçar uma correlação direta entre altos níveis de engajamento e vendas. No entanto, faz sentido pensar que a única maneira de fechar vendas é levar o maior número possível de consumidores a ver seu conteúdo (e, se os clientes estão vendo, é melhor que seja o que você quer que eles vejam). Os olhos dos consumidores estão no Facebook. Se o único jeito de atingir esses clientes for levá-los a se engajar, cabe a você criar não apenas um conteúdo espetacular, mas um conteúdo tão bom que eles vão querer se engajar. Dizendo a mesma coisa usando o vocabulário do boxe, você tem de dar um número suficiente de *jabs* para criar uma enorme visibilidade de modo que, no dia em que você desferir um gancho de direita – no dia em que tentar fechar uma venda, digamos, com um post que não seja particularmente compartilhável mas cujo link leva as pessoas ao seu produto –, seu gancho será exibido no maior número possível de Feeds de Notícias.

Infelizmente, apesar de fazer de tudo para adivinhar o que interessa aos usuários, o Facebook ainda é incapaz de saber a intenção das pessoas. Qual ação, ou *edge*, indica mais interesse, comentar ou curtir um post? Se uma pessoa efetivamente clicar em uma imagem, ela está demonstrando mais interesse do que se compartilhar essa mesma imagem? Uma foto tem mais valor que um vídeo? Curtir um vídeo demonstra o mesmo interesse que assistir ao vídeo inteiro? O Facebook não sabe, mas quer desesperadamente saber e faz ajustes no algoritmo o tempo todo para desvendar o mistério. É por isso que, mesmo se a maior parte do seu conteúdo puder ser vista hoje, você não tem como saber se a situação se manterá amanhã. Sua marca pode estar sendo exibida no topo da página de um usuário e no minuto seguinte estar enterrada seis páginas para baixo. Por exemplo, o Facebook pode decidir que o compartilhamento é um *call to action* e um endosso à marca muito mais forte do que uma curtida e atribuir ao compartilhamento mais peso do que a ela. Se seu conteúdo levar a muitos compartilhamentos, você se sai bem com a mudança. Mas o Facebook pode mudar de ideia a qualquer momento e decidir que as curtidas na verdade valem tanto quanto os compartilhamentos, se não mais. Seu conteúdo pode não receber muitas curtidas. E agora?

A velocidade com a qual temos de nos manter em dia com essas alterações e criar um conteúdo correspondente é suficiente para levar qualquer profissional de marketing a uma crise de estafa. Como é que podemos saltar todos os obstáculos para atingir os consumidores se o Facebook fica tirando os obstáculos do lugar?

Mantendo-se sempre alerta. Aceitando que você precisará reinventar seu conteúdo todos os dias ou até com uma frequência maior. E conhecendo sua comunidade como conhece sua própria família. Como fazer isso? Contando histórias que as pessoas querem ouvir. Dando de forma aberta e generosa. Lançando *jab* após *jab* após *jab* após *jab* após *jab*.

OS *JABS* EM AÇÃO

O segredo para um marketing de sucesso é ter em mente que, apesar de o foco ser sua marca ou empresa, a vida de seu cliente não gira em torno disso. Como acontece em qualquer primeiro encontro amoroso, um segundo encontro depende de você fazer o que puder para se inteirar dos interesses da pessoa e conduzir a conversa nessa direção. No fim das contas, boxe e namoro não são tão diferentes assim. Afinal, o objetivo é chegar às vias de fato e atingir a vitória. Às vezes, o resultado é medido em pontos e, às vezes, em uma proposta de casamento (ou qualquer outra coisa), mas, nos dois casos, você não tem como ganhar se começar com sua manobra mais agressiva.

Digamos que sua empresa vende botas. Faria muito sentido falar sobre o tempo ou sobre escalada de montanhas. Até faria sentido falar sobre caça ou talvez sobre o modo como as botas protegem os pés das pessoas em shows de rock lotados. São todos temas diretamente relacionados a botas, ou pelo menos a um passo mental de distância. Desse modo, para seu primeiro *jab*, você pode postar a atualização de status a seguir:

"Até a próxima, 30 Rock! Obrigado por sete anos hilários!"

Se o diretor de marketing dessa empresa de botas não entender muito de mídias sociais, assim que vir essa primeira atualização de status ele entrará correndo em sua sala furioso, questionando sua decisão. O que 30 Rock tem a ver com uma empresa de botas? Até que ponto você pode se distanciar da marca? Por que estamos fazendo isso? Como isso vai nos ajudar a vender mais botas? E sua resposta será: não vai ajudar a vender mais botas. Ainda.

Com o diretor de marketing da empresa de botas à sua frente, na melhor das hipóteses curioso e, na pior, furioso, você argumenta tranquilamente que a inteligência analítica (chamada de Page Insights) revela que aquele post está recebendo um engajamento maior do que os posts tradicionais, mais focados nas botas, exatamente como você imaginava que aconteceria. Por quê? Porque, por meio de *jabs* anteriores nos quais você fez perguntas como "Qual é seu programa de TV favorito?" você já tinha coletado o insight do consumidor de que 80% dos seus fãs adoravam o 30 Rock. E sabia que o último episódio da série estava se aproximando. Assim, ao postar "Até a próxima, 30 Rock!", você está se conectando com sua comunidade e mostrando que não só os entende como é um deles. De repente, sua marca passa a falar como um ser humano, não como uma empresa de botas. E, como revela o *over-indexing* (que significa que um post apresenta um desempenho acima do normal para a marca), as pessoas gostaram. Elas reagiram. Isso é bom para você, porque o maior engajamento diz ao Facebook que a marca importa para as pessoas. Assim, da próxima vez que você postar um microconteúdo, um vídeo de 15 segundos feito por um usuário com pessoas ostentando suas botas, o Facebook vai exibir o post no Feed de Notícias de seus clientes. Também nesse caso, o post não está tentando vender nada. Nem o próximo, um cartão de Dia dos Namorados que não mostra uma única bota sequer. Você publica mais três ou quatro posts que também não tentam vender nada, como estes:

Terceiro *jab*: Post – um vídeo de 15 segundos sobre escalada de montanhas.

Quarto *jab*: Pesquisa de opinião – "Você prefere usar botas no verão ou no inverno?"

A ideia é dar, dar e dar, só para entreter seus clientes e mostrar a eles que os entende. E, quanto mais você dá, mais de fato os entende. Antes, cada microconteúdo tinha de ser um gancho de direita porque tudo o que sabíamos sobre os clientes que compravam botas era que eles precisavam de um calçado para proteger os pés. Mas, se formos capazes de dar bons *jabs*, o Facebook pode nos proporcionar um conhecimento detalhado e sutil das pessoas que compram nossos produtos. Ao testar, lançar *jabs* e dar, aprendemos o que nossos clientes consideram divertido. Um conteúdo que entretém leva a engajamento e diz ao Facebook e ao resto do mundo que seus clientes se interessam por sua marca, de modo que, quando você finalmente publica algum conteúdo que beneficiaria diretamente seus resultados financeiros – um cupom, uma oferta de frete grátis ou outro *call to action* qualquer –, 4% de sua comunidade são expostos ao conteúdo, em vez de apenas do 0,5%, o que lhe aumenta bem a probabilidade de fechar a venda.

DIRECIONE SEUS *JABS* E GANCHOS DE DIREITA

Às vezes, contudo, você não quer que todos vejam a mesma informação. Em qualquer outra plataforma, onde seus posts são absolutamente públicos, cada *jab* que você desfere atinge todas as pessoas no meio da cara. No Facebook, contudo, você pode ser extremamente seletivo, customizando seus *jabs* e direcionando-os a subconjuntos de sua base de fãs. Quer direcionar um post a mulheres casadas de 32 a 45 anos com curso superior que falam francês e moram na Califórnia e publicar seu post na véspera do Ano Novo? Quem sabe usar o Facebook corretamente pode fazer isso (e imagino que a maior loja de bebidas da Califórnia saberia).

Direcionar seus posts é uma estratégia que deve ser levada em conta ao desferir seus *jabs*. E é absolutamente essencial ao lançar um gancho de direita. Digamos que você seja um varejista de moda norte-americano e hoje seja o Black Friday. Você criou um post destacando uma de suas bolsas mais cobiçadas. Sabe que as compradoras dessa bolsa costumam ser mulheres de 25 anos. Faria sentido enviar esse conteúdo a seus clientes homens de 55 anos que procuram sua loja principalmente para comprar cintos? Claro que não. Então, ao postar o anúncio sobre a liquidação do Black Friday com uma foto da bolsa, você só o publica aos fãs de sua página que são mulheres de 25 a 35 anos. Ao falar diretamente ao grupo demográfico certo, você aumenta as chances de as pessoas se engajarem com o conteúdo, o que mantém elevados seus índices do EdgeRank, em vez de dar ao Facebook a impressão de que as pessoas não se interessam mais pela sua marca – o que aconteceria se você publicasse o mesmo conteúdo para homens que jamais clicariam ou se engajariam com um post sobre uma bolsa.

Você poderia muito bem postar visando a seus clientes homens de 55 anos se alterasse o conteúdo para que a mensagem tivesse uma boa repercussão nesse grupo. Poderia ser algo como: "Ei, pais, nunca é tarde demais para lembrá-la de que ela ainda é sua menina dos olhos. Nossa liquidação do Black Friday começa hoje às 6 da tarde". E poderia ir mais longe e criar um conteúdo direcionado aos consumidores do Texas incluindo uma silhueta na forma do estado do Texas, um conteúdo direcionado a Nova Jersey com uma silhueta no formato de Nova Jersey e assim por diante, para todos os estados cujos moradores são especialmente orgulhosos de sua origem. Para garantir o impacto de todos os *jabs* e ganchos de direita, a mensagem deve repercutir com os clientes e atingir seu centro emocional.

GASTOS INTELIGENTES

Vale a pena dar uma parada e examinar a eficácia desse cenário em termos de custo. Com muito pouco tempo de espera, um varejista pode criar dois conteúdos distintos, enviá-los diretamente a dois grupos demográficos separados e ver, em tempo real, a reação dos destinatários. Se os comentários empolgados começarem a se acumular ou se o conteúdo começar a ser compartilhado, o varejista sabe que o gancho de direita atingiu o alvo. Se os consumidores se engajarem, elevando o EdgeRank do varejista, isso mostra ao Facebook que os usuários se interessam pelo varejista. O Facebook garante que o conteúdo será exibido para mais pessoas, o que permite que o vendedor mostre seu conteúdo várias vezes a um público cada vez maior sem ter de pagar mais por isso.

Para fazer a mesma coisa na TV, um varejista nacional poderia criar dois spots diferentes voltados a dois grupos demográficos. Por exemplo, um anúncio convencional para ser exibido na CNN no horário nobre e um anúncio multicultural para os canais UPN no noticiário local das 22 horas. A equipe criativa teria de desenvolver os anúncios semanas antes de serem exibidos. Normalmente, o comercial precisaria ser exibido um número suficiente de vezes para que a população alvo visse o spot três vezes, o que equivale a cerca de duas semanas rodando o comercial. O custo para atingir esse público seria algo entre US$ 7 mil e US$ 13 mil. Depois de exibir os comerciais, o varejista teria de esperar sentado e de dedos cruzados que as pessoas de fato vissem o anúncio, mesmo se só se esqueceram de desligar a TV enquanto assistiam um filme no tablet. E, se o varejista quisesse divulgar mais conteúdo na TV, teria de pagar tudo de novo.

Qual dos dois cenários lhe parece mais econômico, em termos de tempo e dinheiro?

Não há nada de errado em gastar dinheiro se isso for feito com inteligência. Você provavelmente já está comprando anúncios do Facebook exibidos do lado direito do site. Esses anúncios até agora têm sido uma das maneiras mais eficientes de investir na divulgação de qualquer marca ou empresa, grande ou pequena. Em média, o custo de exibir um anúncio no lado direito da página do Facebook varia entre US$ 0,50 e US$ 1,50 por curtida, mas, dependendo da especificidade de sua segmentação de marketing, da duração de sua campanha e de seu orçamento, o preço das curtidas pode variar de US$ 0,10 a vários dólares. É uma barganha, mesmo em comparação com o custo de aquisição de e-mails, que pode sair por apenas US$ 0,49. Como um dólar gasto na aquisição de um fã no Facebook pode valer mais do que US$ 0,49 em outro lugar? Isso acontece porque um usuário social na sua fan page tem um maior alcance potencial do que em qualquer outro lugar.

Eu sei bem disso. Em 1998, eu usava o e-mail marketing, bem como o Search Engine Marketing (SEM) e anúncios pay-per-click para divulgar a WineLibrary.com. As pessoas adoravam meu produto e meu negócio e não hesitavam em se cadastrar para receber meus e-mails e comprar de mim. Meu modelo de negócio na época era exatamente igual ao de muitas empresas de e-mail marketing de sucesso dos últimos 50 anos, como Fab.com, Groupon ou Gilt. A diferença é que os fãs dessas empresas não eram tão apegados ao e-mail quanto meus fãs em 1998. Se eles quisessem conversar ou trocar informações com os amigos, tinham de usar o e-mail. Hoje em dia isso não acontece. Assim, os profissionais do e-mail marketing de hoje precisam oferecer enormes recompensas pelo compartilhamento, como um desconto de US$ 10 na primeira compra se o cliente conseguir convidar cinco amigos para se cadastrar no site. Sem esse incentivo, as pessoas não se darão ao trabalho de divulgar seu conteúdo ou convidar os amigos para entrar em seu site por e-mail, o que lhes dá a sensação de estar espalhando spams. As mídias sociais, contudo, foram criadas para compartilhar, de modo que aqueles anúncios direcionados do Facebook, apesar de custarem entre US$ 0,50 e US$ 1,50 por fã, na verdade valem muito mais porque os fãs têm mais probabilidade de compartilhar seu conteúdo de graça e possivelmente mais de uma vez... se você lhes der o que eles querem em termos de conteúdo e serviço.

A NOVA CARA DOS GASTOS INTELIGENTES

Infelizmente, os anúncios do Facebook estão seguindo o caminho dos dinossauros e os dias das aquisições baratas de fãs estão chegando ao fim. Com o considerável crescimento do uso do Facebook no celular e o aumento do número de pessoas abandonando os laptops, os anúncios do lado direito da área de trabalho do Facebook estão se tornando obsoletos. Você pode até esperar que os consumidores pensem em ir diretamente à sua fan page para conhecer seu conteúdo, mas sinceramente, a menos que a pessoa seja pesquisadora da área, quem é que visita fan pages só para obter uma dose de conteúdo? Provavelmente ninguém. E todo mundo vai fazer isso cada vez menos agora que vemos o Facebook mais no celular do que no site.

O pequeno dispositivo móvel está longe de oferecer a espaçosa área de trabalho do site. Isso significa que, até a próxima grande revolução tecnológica, como o Google Glass ou telas tatuadas na palma de nossa mão, as histórias, conteúdo e marketing para o Facebook devem ser desenvolvidos para a experiência no celular. É por isso que, em janeiro de 2013, o CEO do Facebook, Mark Zuckerberg, anunciou que o Facebook passaria a ser considerado uma empresa de telefonia celular.* E apenas seis meses depois o Facebook reportou que 41% de sua receita publicitária vinha dos celulares, o equivalente a US$ 1,6 bilhão no segundo trimestre de 2013.

---

* Escrever livros no olho do furacão dos acontecimentos é ao mesmo tempo um desafio e uma oportunidade. Para constar, o anúncio foi feito exatamente dois dias antes de eu escrever o primeiro manuscrito desta página.

Mas se as marcas e empresas estão limitadas a telas de smartphone, onde elas devem colocar seus anúncios? Algumas marcas decidiram que a resposta é: à direita, na parte superior da página que o consumidor está tentando ler. Isso sem dúvida já aconteceu com você: você entra no seu site favorito para ver as últimas notícias e, em vez do conteúdo, a tela é tomada por um grande e intrusivo box tentando vender eletroeletrônicos, algum antivírus ou qualquer outra coisa que definitivamente não estava procurando. O que leva o pessoal de marketing a achar que essa é uma boa maneira de convencer as pessoas a fazer negócios com suas empresas? Essa abordagem só irrita as pessoas e provoca sentimentos negativos em relação à marca. É a antítese dos *jabs*. Afinal, nem todas as impressões são boas. Qualidade, relevância, timing... esses fatores fazem muito mais diferença do que os profissionais de marketing percebem. Mais uma vez, precisamos nos lembrar das razões por que as pessoas gravitam no Facebook... ou em qualquer outro site. Ninguém vai lá para ver anúncios.

Em vista disso, o que um profissional de marketing deve fazer? Precisamos repensar os anúncios e seu papel. Precisamos focar no conteúdo nativo. Precisamos oferecer valor. De agora em diante, a diferença entre seu conteúdo e seus anúncios no Facebook será... nenhuma. Seu conteúdo, ou melhor, seu microconteúdo, precisa ser o anúncio. Por sorte, o Facebook vem aperfeiçoando uma ferramenta que nos permite criar anúncios com base em um conteúdo já aprovado pelos fãs da página, o que não só o ajudará a expandir o alcance do que você posta como vai impedi-lo de divulgar algo que não passa de um desperdício de tempo. Isso é chamado de "história patrocinada". E, ao contrário de um anúncio na TV ou em uma revista, essa estratégia de investimento vale cada centavo.

HISTÓRIAS PATROCINADAS

As histórias patrocinadas foram lançadas no início de 2011, mas começaram a ser utilizadas em peso no outono de 2012 principalmente porque o Facebook anunciou que finalmente faria um ajuste algorítmico que propositadamente limitaria o número de pessoas que veria organicamente os posts de uma marca, mesmo se essas pessoas já tivessem se tornado fãs ao curtir a fan page da marca. Até recentemente, apesar de o algoritmo ser calibrado para restringir spams ou conteúdos desinteressantes, um bom conteúdo ainda podia atingir organicamente uma grande porcentagem de fãs. De setembro de 2013 em diante, contudo, o algoritmo do Facebook só permite que o conteúdo de uma marca atinja cerca de 3% a 5% dos fãs. Para atingir um número maior de pessoas, você deve publicar um conteúdo extremamente envolvente. Ou pagar. Desse modo, o Facebook consegue proteger a experiência do consumidor, elevando a barreira de entrada no Feed de Notícias dos usuários[1].

Boa parte dos profissionais de marketing não vê a coisa dessa forma. Muitos ficaram furiosos. Como o Facebook ousa forçá-los a pagar mais para se beneficiar do bilhão de usuários da plataforma? Que desleal. Que sem noção. Que capitalista.

Será que alguém realmente achava que o Facebook não encontraria um jeito de ganhar mais dinheiro? Além disso, o que mais o Facebook poderia fazer quando o espaço do lado direito da página para exibir os anúncios se

---

1 N. da E.: A partir de 9 de abril de 2014, as histórias patrocinadas foram descontinuadas em função de uma nova mudança do algoritmo. O Facebook explicou dizendo que a partir daquele momento estava trazendo as melhores histórias patrocinadas, o que ele chama de "contexto social" para todos os anúncios. "Nossa publicidade social honra o público que as pessoas escolhem, então ninguém verá informações de contexto social em um anúncio que já não pudessem ver", informou na ocasião.

esvaía mais rapidamente do que palavrões nas minhas palestras à medida que as pessoas abandonam as grandes telas de seus PCs e migram para os dispositivos móveis? Não entendi a fúria das pessoas. Profissionais de marketing e empresários que jamais se irritariam por pagar centenas de milhares de dólares a uma rede de televisão para exibir um anúncio, mesmo sem saber se o anúncio efetivamente chamaria a atenção de alguém, estavam tendo ataques cardíacos só de pensar em abrir a carteira para ter o mesmo tipo de distribuição no Facebook. Ao contrário da TV, o alcance de seu conteúdo só aumenta quando você posta um conteúdo que as pessoas efetivamente querem ver e acham que os outros também vão querer ver. Quanto maior for o número de pessoas que interagem com seu conteúdo, mais você consegue disseminar o boca-a-boca à medida que ele é compartilhado com outras pessoas. Crie um conteúdo espetacular que impele as pessoas a se engajar e o Facebook lhe permitirá mostrar esse conteúdo a um número cada vez maior de pessoas. Crie um conteúdo que deixa as pessoas indiferentes e o Facebook dificultará ao máximo sua tarefa de exibir conteúdos parecidos na plataforma.

As histórias patrocinadas constituem uma plataforma de divulgação superior por recompensar a agilidade e a capacidade de resposta. Quando a plataforma nos mostra que um conteúdo está repercutindo com nosso público, sabemos que deveríamos investir mais nele. É tudo muito claro. Quando penso no que eu poderia ter feito com um serviço como esse na época em que usava o e-mail marketing, me dá vontade de chorar só de pensar em todo o vinho que eu poderia ter vendido. Digamos que, em média, cerca de 20% das pessoas que receberam meus e-mails na época os abriram. Suponha que um dia eu tenha enviado um e-mail que teve uma taxa de abertura de 21%. Depois vi que o vinho mencionado naquele e-mail de repente começou a vender muito. Estava claro que meu público gostou de alguma coisa naquele e-mail. Quanto valeria esse conhecimento? Eu teria pago com satisfação ao Yahoo, ao Gmail e ao Hotmail um extra para me certificar de que, da próxima vez que eu enviasse aquele e-mail, o maior número possível de pessoas o visse, seja evitando filtros de spam ou encontrando um jeito de abrir o e-mail automaticamente quando as pessoas acessassem suas contas. Um serviço como esse teria sido a ferramenta de marketing mais incrível do mundo – caramba, ouviu isso, Google? – e é mais ou menos o que é possível obter com as histórias patrocinadas do Facebook.

O Facebook é péssimo em explicar a ideia das histórias patrocinadas, então vou tentar fazer isso aqui. Há dois tipos de histórias patrocinadas. Um deles simplesmente estende um post de sua escolha ao Feed de Notícias de um número maior de seus fãs do que os 3% a 5% que normalmente veriam o post. Esse tipo é chamado de Page Post. O segundo amplia seu alcance da mesma maneira, mas permite salientar o fato de que um fã se engajou com seu conteúdo e contar isso aos amigos desse fã. Você pode optar por criar esse tipo de história patrocinada em torno de um clique no post, de uma curtida e de várias outras ações como um compartilhamento da história a partir do app ou do site. Por exemplo, se um fã fez check-in em um hotel ou usou um cupom de desconto de uma empresa de camisetas, o hotel ou a empresa de camisetas poderiam pagar para que os amigos desse fã ficassem sabendo a respeito, não com um anúncio flutuando na periferia da página do Facebook que só os usuários de PC veriam, mas no próprio Feed de Notícias dos amigos dele. Esse é o grande avanço para os profissionais de marketing. Antes, quando criávamos anúncios relacionados a um post, assim que o anúncio migrasse para o lado direito da página, o formato do post mudava. Essa transformação comprometia o impacto do trabalho criativo, porque ele deixava de se parecer com um conteúdo orgânico criado por um conhecido e ficava mais parecido com um anúncio criado por um estranho. Mas agora os profissionais de marketing podem manter o aspecto orgânico do conteúdo e aumentar seu poder simplesmente pagando para expô-lo a um número maior de pessoas, o que oferece uma oportunidade única de nos conectar com fãs ativos e revigorar o relacionamento aqueles que se tornaram inativos com o tempo.

Amostra de história no Feed de Notícias

Fulana de Tal curtiu **Gary Vaynerchuk**

Gary Vaynerchuk
Joe Smith e 3 **outros amigos** também curtiram isso

Curtir Página • Encontrar Mais Páginas • 3 horas atrás • Patrocinado

Visualização da coluna à direita

Gary Vaynerchuk

Estou p* da vida... porque você ainda não curtiu minha página no Facebook. Acorda, cara!

135.019 pessoas curtiram Gary Vaynerchuk.

As histórias patrocinadas funcionam assim: quando eu patrocino uma história, mais pessoas do que as que normalmente seguiriam minha página verão essa história no Feed de Notícias delas. Com isso, elas são lembradas de mim. Se o conteúdo for bom a ponto de estimulá-las a fazer alguma coisa com ele – curtir, compartilhar ou comentar –, elas voltam a orbitar meu campo gravitacional e o Facebook acredita que voltei a ser relevante: "Os usuários do Facebook curtem o GaryVee, então vou dar a eles mais GaryVee". Agora, da próxima vez que eu postar um novo conteúdo, um número muito maior de pessoas provavelmente o verá. E mesmo assim eu não precisei pagar nem um centavo a mais para obter essa maior exposição. E, se as pessoas continuarem a se engajar, meus custos iniciais continuarão a cair à medida que a exposição aumentar. Isso poderia desencadear um efeito bola de neve que poderia muito bem durar até o mês seguinte, e tudo isso pelo preço de uma pequena história patrocinada.

É importante perceber que, quando patrocina uma história, você não compra dados adicionais. Apenas garante maior alcance e uma camada adicional de segmentação que vai além de um post comum ou de um post direcionado, sendo que os dois são gratuitos. Invista em um post direcionado de bom desempenho e transforme-o em uma história patrocinada para aumentar a especificidade do direcionamento de seu público. Você pode direcionar um post a mulheres, mas sua história patrocinada pode atingir mulheres que gostam de artesanato e que curtem música country. Se descobrir que tem um grande grupo de consumidores em sua base que adora música eletrônica dançante, você pode fazer uma referência ao Skrillex em um post direcionado a esse público específico. Se criar um conteúdo relacionado a hip-hop, pode verificar quais de seus fãs costumam ouvir A$AP Rocky e outros artistas de hip-hop e só enviar esse conteúdo a eles. Conhecer esse tipo de detalhes e usá-los para customizar o conteúdo de acordo com as preferências de seus fãs permite a você disseminar seus ganchos de direita.

UM EXCELENTE VALOR PELO SEU DINHEIRO

A história patrocinada é uma das maiores oportunidades publicitárias de todos os tempos por não lhe permitir gastar mais do que vale seu conteúdo. O Facebook calcula o valor inicial de sua história patrocinada com base na concorrência que você enfrenta por seu público-alvo e em quanto essa concorrência está disposta a pagar. A partir daí, você diz ao Facebook quanto está disposto a pagar por cada clique ou impressão desejada. Mas você não vai necessariamente pagar essa quantia. Se criar um anúncio espetacular que instiga as pessoas a se engajar com você, o Facebook decidirá que seu anúncio merece prioridade em relação ao de um concorrente menos envolvente. O Facebook lhe permite comprar suas impressões por um preço mais baixo do que seus concorrentes têm de pagar se a plataforma constatar que seus anúncios estão tendo um bom desempenho, que as pessoas estão curtindo e interagindo com eles. Além disso, quando o Facebook identifica essa interação com seu conteúdo, ele será mostrado a um número maior de pessoas, porque está claramente aumentando a qualidade e o valor de entretenimento do Feed de Notícias. Assim que as pessoas param de clicar, contudo, o Facebook também para de exibir o anúncio como história patrocinada. O anúncio continuará visível a um grupo de pessoas, mas a plataforma permitirá que sucumba de morte natural, sumindo na irrelevância. A menos, é claro, que você insista em investir no anúncio. Mas por que você faria isso? Dessa vez, a história patrocinada lhe custará muito mais e os resultados serão os mesmos.

Em essência, o Facebook deliberadamente faz com que não valha a pena distribuir um conteúdo ruim.

Não é legal? Se você fizer um comercial de TV idiota, a rede de televisão vai exibi-lo o número de vezes que você pagar para exibir. Nenhuma empresa de outdoor vai olhar para sua arte e dizer: "Cara, não posso pegar seu dinheiro. Você não vai receber nenhum centavo de retorno por isso". Mas é exatamente essa a atitude do Facebook, não porque eles são bonzinhos a ponto de proteger você de si mesmo, mas porque são espertos o suficiente para se proteger de você. É do interesse do Facebook que você poste um conteúdo espetacular. A plataforma quer ganhar dinheiro, mas, se os usuários acharem que estão sendo submetidos a uma enxurrada constante de spams sempre que vão ao site, o Facebook vai sair perdendo.

Se as redes de televisão pudessem apresentar aos profissionais de marketing dados provando que os consumidores desligam a TV toda vez que veem um comercial ruim, a publicidade na TV seria melhor. É exatamente isso que o Facebook e todas as mídias sociais podem fazer por nós. De preferência, quando o Facebook informa que ninguém está interagindo com sua história patrocinada, essa é a deixa para fazer uma pausa e repensar seu conteúdo ou descartá-lo de vez. O Facebook não tem como dizer por que o conteúdo não está funcionando; você precisa usar os dados que a plataforma disponibiliza para descobrir a resposta sozinho. As mídias sociais nos proporcionam um feedback do consumidor em tempo real, o que nos obriga a sermos profissionais de marketing, estrategistas e prestadores de serviço melhores.

E, ainda por cima, é ridiculamente barato. Talvez não tanto quanto costumava ser, mas ainda sai muito mais barato do que um anúncio na TV. E desafio qualquer um a encontrar uma rede de TV, rádio, jornal, revista ou empresa de banners que lhe permita fazer um test drive de seu conteúdo de graça na forma de mensagens orgânicas ou direcionadas como o Facebook faz.

No fim das contas, as mudanças implementadas nos anúncios do Facebook só alteraram o custo de trabalhar com essa rede social, não o modo como você conta sua história. Se sua marca souber dar *jabs* de forma a agregar valor para seu cliente – oferecendo-lhe um momento de descontração com um cartum, um jogo ou qualquer outro conteúdo escapista, o que, por sua vez, abre a possibilidade de que façam uma compra quando você finalmente lhes pedir com um gancho de direita –, você sairá ganhando. Se não souber, sairá perdendo. Não importa o que o Facebook fizer, no fim das contas é o conteúdo que interessa. Você pode patrocinar um conteúdo ruim e suas vendas não vão melhorar nada. Mas você nunca precisaria patrocinar lixo. Sua comunidade no Facebook lhe proporciona um filtro automático de lixo a cada vez que você envia seu conteúdo gratuitamente. Seu alcance orgânico pode ser de apenas 3% a 5% mais ou menos, mas, se uma porcentagem maior do que essa se engajar com seu conteúdo, você sabe que tem um diamante nas mãos. E é esse conteúdo que você deve patrocinar. Se postar um conteúdo que não recebe qualquer atenção, sabe que precisa trabalhar nele ou tentar algo novo. O Facebook nos proporciona um método garantido para que você só invista naquilo que vai melhorar seu negócio.

As coisas podem mudar no futuro. A plataforma pode decidir começar a usar compras efetivas como indicadores de interesse dos fãs mais do que o engajamento na forma de comentários, curtidas ou compartilhamentos. Naturalmente, fazer uma compra é um grande indicador de que as pessoas querem ver seu conteúdo. Uma mudança como essa poderia significar que o Facebook se tornaria tanto uma plataforma de ganchos de direita quanto uma plataforma de *jabs*, como é hoje. Se isso acontecer, prevejo que o Facebook vai bolar um jeito de controlar os ganchos de direita com o mesmo rigor com o qual controla os posts patrocinados. A última coisa que o Facebook quer é se tornar uma plataforma de ganchos de direita, porque isso significaria sua morte.

Meu conselho para os profissionais de marketing é parar de reclamar e começar a criar microconteúdos que valham o dinheiro necessário para atingir os clientes que o Facebook hoje protege com tanto zelo. Sejam mais empreendedores. Descubram como usar o sistema a seu favor e obter um excelente valor pelo seu dinheiro. Vocês podem se dar ao luxo de inovar no Facebook de uma maneira que seria impossível em quase qualquer outra plataforma existente nos dias de hoje.

Querem ver como? Nas páginas a seguir, vamos dar uma olhada em alguns exemplos de manobras perfeitas no Facebook, bem como alguns equívocos que chegam a ser quase cômicos.

Por favor note que as críticas dos estudos de caso a seguir refletem apenas minha opinião, com base em anos de experiência. Não posso alegar qualquer conhecimento dos interesses ou das intenções originais das empresas. Só comento o que vejo.

ERROS E ACERTOS
AIR CANADA: DESTRUINDO UMA BOA IDEIA

> **Air Canada** • 494.738 pessoas curtiram isso
> 20 de março às 13:45
>
> Lucile Garner Grant, a primeira comissária de bordo da história, faleceu no dia 4 de março aos 102 anos de idade. Desejamos transmitir à família dela as nossas sinceras condolências. Muito nos honra o fato de ela, uma eterna aventureira, ter escolhido passar alguns de seus anos conosco.
> http://aircan.ca/SMJvQL
>
> **enRoute | Perguntas e Respostas com Lucile Garner Grant**
> enroute.aircanada.com
> Na ribalta: Primeira mulher a ser empregada pela Trans–Canada Air Lines (TCA), Garner Grant foi comissária de bordo entre 1938 e 1943. Em certa ocasião, ela conduziu um trenó puxado por cães do aeroporto até uma estação de rádio em Fort Nelson, B.C., para buscar um "homem do tempo"...

Quando a primeiríssima comissária de bordo da Air Canada, que trabalhou na companhia aérea entre 1938 e 1943, faleceu aos 102 anos de idade, a Air Canada lhe fez um tributo publicando sua foto e o link de uma entrevista para sua revista de bordo realizada cerca de seis meses antes de sua morte. Deveria ter sido um *jab* espetacular, engajando uma grande parcela dos 400 mil fãs da empresa. Infelizmente, eles estragaram tudo.

Veja por quê:

★ O post não é visualmente atraente.
★ Tem texto demais.
★ É um post de link quando deveria ter sido um post de foto.

A Air Canada faria toda a diferença se simplesmente tivesse se dado ao trabalho de fazer um post mais atraente visualmente. A maioria de nós adoraria chegar aos 102 anos tão bem quanto a Sra. Lucile Garner Grant na foto tirada para a entrevista. No entanto, os dois grandes blocos de texto cercando a foto diluem o impacto da imagem. Seria demais esperar que as pessoas lessem tudo isso ao rolar o conteúdo do celular à velocidade da luz. Se a Air Canada tivesse transformado o post de link em um post de imagem com a foto da Sra. Grant sobrepondo o texto e anunciando o falecimento na própria foto, teria enfatizado a foto e, ao mesmo tempo, explicado sua relevância. Ao lado da foto, eles só deveriam ter colocado o subtítulo da entrevista (e talvez uma menção ao trenó puxado por cães) juntamente com o link do artigo.

Algo assim:

> **Air Canada •**
> 396.299 pessoas curtiram isso
> 20 de março às 13:45
>
> Lucile Garner Grant, a primeira comissária de bordo da história, faleceu no dia 4 de março aos 102 anos de idade. Desejamos transmitir à família dela as nossas sinceras condolências. Muito nos honra o fato de ela, uma eterna aventureira, ter escolhido passar alguns de seus anos conosco.
> http://aircan.ca/SMJvQL
>
> **Lucile Garner Grant**
> **UMA ETERNA**
> **AVENTUREIRA**
>
> AIR CANADA

Este é um excelente exemplo de microconteúdo: compacto, intrigante, com um bom timing e na linguagem nativa da plataforma. O layout é grande e atraente a ponto de levar uma pessoa que rola rapidamente o Feed de Notícias do Facebook a parar e dizer: "Nossa, 102 anos? A primeira aeromoça deles? Como assim?" e talvez clicar para ler a entrevista inteira, que oferece uma visão fascinante do passado e algo que muitas pessoas seriam propensas a compartilhar com os amigos. Se a Air Canada tivesse feito esses pequenos ajustes visuais e textuais, eles teriam tido mais tempo para honrar uma de suas primeiras funcionárias e mais tempo para contar uma história interessante sobre a marca.

JEEP: EVOCANDO AS EMOÇÕES CERTAS

Esta imagem resume a marca Jeep à perfeição. A empresa não poderia ter escolhido um modelo melhor do que a bela jovem da foto, com seus óculos escuros, seus cabelos esvoaçantes e seu enorme sorriso evocando verão, diversão e liberdade. O mais legal é que ela não é uma modelo. Ela é só alguém que uma fã chamada Megan Bryant fotografou e postou no Facebook. O movimento e o clima da imagem são atraentes o suficiente para levar as pessoas a parar para ver. Basta dar uma olhada para você querer ter um Jeep também.

Jeep
"Só quem tem um Jeep sabe." Os sintomas incluem cabelos despenteados pelo vento, sorriso constante e sensação de euforia. (Foto cedida pela fã Megan Bryant.) – com **Kaitlyn Brook Latham, Keith E. Brown, Laura Rincón, Ritchie Ritz, Rajeev Elavally, Yahia Mirmotahari, Anay Tobon, Richard Antonio Horna Quiroz e Victor Tobon.**

Curtir • Comentar • Compartilhar • 8 de abril

A única coisa que poderia melhorar um pouco esse post teria sido aumentar a visibilidade dos dizeres "Só quem tem um Jeep sabe", talvez incluindo-os na própria foto. Com esse pequeno ajuste, a Jeep teria uma imagem de grande eficácia, com seu logo e um slogan incrível em um pacote só. Mesmo assim, meus parabéns para a Jeep por este belo, humanizador e bem executado *jab*.

MERCEDES-BENZ: UM EXCELENTE PRODUTO QUE MERECIA MAIS

Outra empresa de automóveis escolheu um caminho mais tradicional que a Jeep postando uma foto do produto. E que produto! Sem dúvida um belíssimo e luxuoso carro. A imagem diz tudo, e é por isso que foi uma pena que a Mercedes-Benz tenha transformado o que deveria ter sido um excelente *jab*, quase um gancho de direita, em um mero tapinha sem força. Veja como:

★ **Texto demais:** É uma pena que a Mercedes-Benz tenha achado que precisava entupir sua elegante foto com uma descrição gigantesca que poucas pessoas se darão ao trabalho de ler. Tudo que eles precisavam fazer era incluir uma única linha de texto sobre o suntuoso interior do carro e um link levando ao excelente artigo da Forbes que informa aos leitores tudo que eles precisam saber.

★ *Call to action* **mal posicionado:** Além disso, eles posicionaram o *call to action* – o link levando ao artigo – no fim do enorme parágrafo de texto. Por que fizeram isso? Um texto menor teria salientado o fato de a Forbes ter escrito um artigo elogioso em vez de enterrar esse fato debaixo de uma montanha de palavras.

★ **Sem logo:** Por mais deslumbrante que o carro seja, as pessoas não têm como conhecer o fabricante se não derem uma olhada na foto do perfil do post. A Mercedes-Benz poderia muito bem ter incluído o logo com elegância em algum lugar da foto sem correr o risco de sacrificar uma gota sequer de classe ou sofisticação.

Mercedes-Benz USA
O que queremos dizer com "conforto energizante" aos nos referirmos ao próximo S-Class modelo 2014? Segundo a Forbes, a sensação da massagem ao estilo de pedras quentes será como "uma mão humana pressionando suas costas". Seu suntuoso assento de couro, por si só um exemplo admirável da tecnologia, será aquecido e ventilado com 14 bolsões de ar acionados separadamente no encosto. Esses são apenas alguns exemplos da tecnologia do S-Class que, segundo a Forbes, estabelece novos padrões para toda a indústria. Leia a análise completa e nos diga o que achou:
http://mbenz.us/17bxhff
Curtir • Comentar • Compartilhar • 5 de abril

SUBARU: NOITE DE AMADORES

O post é tão ruim que é difícil saber por onde começar.

★ **Texto chato:** Como a Mercedes-Benz, a Subaru publicou este post para compartilhar uma excelente análise de seu novo carro. Mas, enquanto a Mercedes-Benz falou demais, Subaru falou de menos. O tamanho do texto é ideal, mas a empresa não precisava ter aberto mão da oportunidade de indicar que a análise foi positiva. Qual é o grande segredo? Eles perderam a chance de empolgar os fãs e levá-los a querer ler mais.

★ **Foto terrível:** A menos que a Subaru pretendesse vender asfalto junto com seus carros, não vejo razão alguma para uma estrada molhada dominar toda a metade inferior da foto. O carro da Subaru está tão longe que é quase reduzido ao mesmo tamanho que os pequenos veleiros no mar ao fundo.

★ **Sem logo:** Não há razão alguma para alguém prestar atenção a essa foto, mas, mesmo se alguém parar para vê-la, sem um logo não há motivo para prestar atenção ao carro.

Apesar de nada poder transformar essa água em vinho, o simples ato de incluir o título da análise publicada na Consumer Reports junto com um logo e recortar a foto para dar mais destaque ao carro poderia ter transformado essa oportunidade desperdiçada em um *jab* passável.

Subaru of America, Inc.
A Consumer Reports acabou de publicar uma análise do nosso novo Forester:
http://subar.us/153KlhX

Curtir • Comentar • Compartilhar • 10 de abril

VICTORIA'S SECRET: FLUENTE NA LINGUAGEM DA PLATAFORMA

Com este potente gancho de direita, a Victoria's Secret mostra que é fluente em conteúdo feicebuqueano nativo:

★ **Foto de impacto:** Naturalmente não são só as asas ostentadas pela modelo que vão a levar as pessoas – homens que adoram o que ela está mostrando e mulheres que gostariam de ter o que ela está mostrando – a parar de rolar seu Feed de Notícias para olhar melhor. Mas a Victoria Secret's deu um jeito de fazer com que o design da foto fosse tão cativante quanto sua protagonista. A imagem é grande e ousada a ponto de tomar por completo tanto uma tela de computador quanto a de um celular; o preto e branco minimalista intensifica a dramaticidade da imagem; os dizeres em rosa-choque sobrepostos nas asas da modelo são tão impressionantes quanto o decote dela e a lingerie que o salienta. Eles fizeram de tudo para que a foto não passasse despercebida no Feed de Notícias das pessoas.

★ **Bom uso do texto:** O texto na foto foi posicionado perto do centro, de modo que, mesmo se a imagem fosse cortada para caber na telinha do celular, ainda permaneceria visível. A atualização de status foi elaborada no tom certo e na dimensão perfeita. O texto é curto e direto, mas a frase entre parênteses inclui uma piscadela, que intensifica ainda mais a dose de personalidade e humor tão necessários para as ações de marketing de qualquer marca.

Victoria's Secret
A melhor parte de ser um Angel
(e está prestes a ficar ainda melhor).
Ainda não tem o cartão
de crédito Angel Card?
Cadastre-se aqui:
http//i.victoria.com/12x
Curtir • Comentar • Compartilhar • 5 de abril

★ **Links apropriados:** Depois das palavras "Cadastre-se aqui", a Victoria's Secret inclui um link que conduz as pessoas diretamente à página de cadastro para obter um Angel Card, facilitando e agilizando a venda. Será que uma decisão tão óbvia de fato merece tantos elogios? Você se surpreenderia ao ver quantas marcas preparam o terreno para um belo gancho de direita só para incluir um link levando ao site em geral, deixando aos clientes a tarefa de encontrar a guia adequada para fazer a compra. Para um exemplo, veja o tuíte da Lacoste na página 111.

MINI COOPER: INSPIRANDO O ESPÍRITO DE AVENTURA

★ **Excelente voz:** Eu simplesmente adoro a voz deste post. Em duas linhas, a atualização de status promete que, se você ficar com o Mini, vai encontrar a aventura perfeita. Você poderia muito bem estar na Suíça agora! Dirigindo na neve! Em um conversível! A ideia de dirigir com a capota aberta na neve é tão absurda que é quase impossível resistir a clicar no link para descobrir como o Mini poderia lhe proporcionar a melhor viagem da sua vida. E a frase "Prepare os cobertores" instiga ainda mais nossa curiosidade, sugerindo que o que está por trás do link vai dirimir quaisquer dúvidas sobre o grau de conforto da experiência. Você clica no link e é levado ao post de blog, que documenta como basta um par de óculos de neve e os assentos de couro aquecidos do Mini para que a experiência de dirigir pelos Alpes nevados a céu aberto seja tão confortável quanto uma viagem pela Highway 1, na Califórnia. E você se convence.

★ **Sem logo:** Vou dar um desconto ao Mini por deixar de aplicar um logo na foto desse post no Facebook porque o Mini é um carro icônico, reconhecível mesmo quando fotografado de trás, como nessa imagem. Ainda assim, espero que alguém da empresa leia este livro e veja a dica de incluir o logo no microconteúdo, porque se, eles começarem a fazer isso nos *jabs*, vai sobrar muito pouco para criticar.

Boa jogada, Mini!

> **MINI**
> Quem é que já abaixou a capota? Estes destemidos aventureiros foram dirigir nas estradas nevadas dos Alpes de Laax, na Suíça, para provar que vale a pena fazer esse passeio! Prepare os cobertores:
> http://bit.ly/Alpine-Cruising
> Curtir • Comentar • Compartilhar • 5 de abril

ZARA: PROPAGANDA PARA ATRAIR COMPRADORES

Com 19 milhões de fãs, a Zara é uma potência no Facebook. É por isso mesmo que não dá para entender por que a empresa optou por deixar os fãs na mão com este post inútil. Vejamos por que o post é uma completa perda do tempo da marca e de seus fãs.

★ **Péssima otimização para celular:** Eu tive de literalmente apertar os olhos para ler as letras miúdas sob o título que acompanha as fotos. E o que diabos são aquelas duas coisinhas debaixo do iPhone? Chega a ser difícil entender que aquele quadrado amarelo é um Post-It sem ter de grudar o nariz na tela para ver melhor. E isso porque eu vi o post em um laptop! A imagem teria sido quase impossível de enxergar no celular.

★ **Bom texto:** Pelo menos eles acertaram o texto. "Só Apps" é uma mensagem rápida e rasteira e diz tudo o que você precisa saber: que a Zara tem apps. Ótimo. Onde eu pego os apps? Ah, um link! Vou clicar nele. Agora eu posso... fazer compras na página inicial do site oficial da Zara? Mas eu queria baixar um app! Não foi isso que vocês acabaram de anunciar, seus apps? Mas que diabos, Zara?

Quanto mais uma marca publica links para sites que não agregam valor a seus clientes, mais os fãs vão hesitar em clicar em quaisquer links que essa marca postar no futuro. Esse post do Facebook representa um fracasso imediato por deixar os fãs na mão com um post feito só para atrair compradores e possivelmente um fracasso no futuro por comprometer o respeito que a Zara conquistou entre sua comunidade e todo o trabalho para desenvolver o valor da marca.

REGAL CINEMAS: ALAVANCANDO A MARCA

Nenhum setor tem à disposição um pool melhor de imagens icônicas para alavancar marcas do que a indústria cinematográfica. No entanto, não muito tempo atrás analisei um monte de páginas de cinemas no Facebook porque estava avaliando algumas oportunidades de marketing de mídia social e na época era quase impossível encontrar um que usasse suas atualizações de status para qualquer outra coisa que não fosse tentar vender ingressos. A Regal Cinemas, contudo, foi na contramão com este excelente *jab* que coloca dois personagens de filmes um contra o outro.

★ **A imagem:** O pessoal criativo da rede de cinemas provavelmente analisou milhares de fotos dos dois personagens antes de decidir quais usar, e escolheu bem. Embora Thornton Melon (do filme De volta às aulas, de 1986) e Frank the Tank (Dias incríveis, 2003) tenham voltado à faculdade em filmes feitos com quase vinte anos de diferença, eles claramente compartilham o mesmo DNA de república universitária.

★ **O texto:** Para variar, a atualização de status do conteúdo não repete o texto que já está na arte. Pelo contrário, o título da imagem lança a pergunta e a atualização de status nos lembra dos nomes dos personagens, só para o caso de alguém não saber. E, mesmo assim, correndo o risco ser repetitiva, a empresa poderia ter garantido um engajamento ainda melhor se tivesse incluído o nome dos personagens abaixo da foto deles ou, na pior das hipóteses, simplesmente os rotulado como "A" ou "B". Uma regra prática: facilite ao máximo o engajamento de seus fãs! Para que correr o risco de alguém não saber os nomes dos personagens e perder a chance de engajar essas pessoas?

★ **Mais uma vez, sem logo:** Parabéns pela Regal Cinemas por se lembrar de reforçar a diferenciação da marca, mas eles teriam se beneficiado mais se usassem um logo e não um banner na parte inferior da arte. Poucas pessoas vão se dar ao trabalho de digitar o URL do cinema, de modo que a empresa teria utilizado melhor o espaço se incluísse um logo de bom tamanho no canto. Mas é só uma pequena ressalva.

Na mosca, Regal Cinemas! Parabéns!

PHILIPPINE AIRLINES: NADA APETITOSA

As pessoas adoram falar sobre comida e a Philippine Airlines, que tem voos para vários destinos exóticos, teve uma boa ideia quando decidiu pedir aos fãs que descrevessem sua refeição mais exótica. Mas o que a empresa fez para desperdiçar uma ideia tão boa?

★ **Má utilização da plataforma:** Desnecessário dizer que, se quiser falar sobre comida e tiver a opção de postar uma foto, você deve, necessariamente, postar a foto. A Philippine Airlines poderia ter postado uma foto maravilhosa de um prato asiático sublime ou abordado a ideia de um jeito divertido, fotografando um prato de testículos ou algum outro prato exótico – pelo menos para os paladares ocidentais – em uma bandeja com o logo da companhia aérea. Não daria muito trabalho transformar esse conteúdo em algo belo ou divertido.

★ **Sem tom:** Com a comida de avião sendo alvo de tantas piadas, eles não poderiam achar um jeito de sugerir que a Philippine Airlines sabe um pouco sobre comer bem? Essa atualização de status é tão insípida e vazia que qualquer empresa do mundo poderia tê-la postado. A Philippine Airlines simplesmente não fez nada para que a pergunta fosse relevante para a empresa ou seus clientes.

★ **Excesso de calls to action:** Por fim, a Philippine Airlines precisa lembrar que menos é mais. Dobrar o número de *calls to action* dificultou a tarefa de responder as perguntas. Pode parecer loucura, mas quando as pessoas rolam pela tela com a velocidade que fazem hoje em dia, duas perguntas já é demais. As perguntas deveriam ter sido separadas em dois posts distintos.

SELENA GOMEZ: UM TOQUE DE OURO

Seu celular e seus dedos estão juntos o tempo todo, então por que eles não podem se complementar? Não é de se admirar que a tendência da moda feminina seja combinar o esmalte das unhas com a capinha do celular. Neste post, Selena Gomez faz piada de si mesma por entrar nesse modismo com um *jab* astuto (o celular e as unhas refletem o mesmo tom dourado quente que o cartaz promocional da turnê mundial Stars Dance), ao mesmo tempo em que prova que ela é capaz de juntar tudo isso para produzir um efeito literalmente deslumbrante.

Selena Gomez
aiai, olha só o que eu virei... kkk
Curtir • Comentar • Compartilhar • 16 de abril

★ **A foto:** É grande e ousada e tem tudo a ver com a plataforma do Facebook (ou, em outras palavras, o conteúdo é nativo). Com as unhas e o celular reluzentes de Selena tomando todo o espaço, os fãs rolando rapidamente pelo feed de notícias não teriam como deixar passar a foto.

★ **O texto:** Pouca gente abusa mais das mídias sociais que as celebridades e um de seus maiores crimes é falar demais. Selena evita esse tipo de abuso e, com esta atualização de status, ela foi esperta e manteve o texto curto e divertido.

Compartilhada milhares de vezes e conquistando centenas de milhares de curtidas, esta história patrocinada com Selena Gomez mostra como os fãs se dispõem a compartilhar o conteúdo de uma marca quando você lhes dá a impressão de que postou o conteúdo só para eles.

SHAKIRA: CAINDO DE CARA NO CHÃO

Shakira • 66.264.718 pessoas curtiram isso
10 de abril às 15:40

• No nosso vídeo do recente lançamento do perfume S by Shakira, em Paris, Shak fala sobre ser mãe, sobre as gravações de seu próximo álbum e seu papel como coach no The Voice...
• En este video del viaje de Shakira a Paris, ciudad en la que presentó su fragancia S by Shakira, Shak nos habló sobre su nuevo rol como madre, su nuevo álbum y sobre su participación en el programa The Voice.
ShakHQ

Shakira em Paris – Shakira en Paris
www.youtube.com
Em 27 de março de 2012, Shakira foi a Paris lançar seu novo perfume S by Shakira na loja Sephora da cidade. Enquanto estava lá, ela...

Shakira prestou um desserviço a seus fãs do Facebook (e a si mesma) com esse post (nada menos que 104 milhões de fãs em 2016).

★ **Tipo errado de post:** Você se lembra de como a foto de Selena ocupava toda sua linha de visão no celular? Já este post você precisa apertar os olhos para ver, por ser um post de link, e não de foto. Quando você anexa um link do YouTube, o *fill out* – o título, o link e o texto – ocupa o mesmo espaço que a foto, reduzindo a eficácia da foto.

★ **Foto ruim:** Não que esta foto teria sido particularmente eficaz se fosse maior. A ideia do post é promover o novo perfume da Shakira. Então por que estamos vendo uma imagem dela posando com uma fã e uma camisa de futebol assinada num pódio? É legal mostrar que Shakira se sente à vontade com os fãs e é generosa com eles, mas essa imagem não tem nada a ver com o objetivo do conteúdo.

★ **O texto:** Primeiro vem o texto em inglês [traduzido aqui para o português]. E depois vem o texto em espanhol. E depois vem a descrição do *fill out* do YouTube. Só que isso não é um livro, é uma atualização de status, e deveria ser breve. As marcas sempre tiveram o recurso de publicar seus posts de acordo com o idioma e o local, de modo que não havia a necessidade de duplicar os idiomas neste post... especialmente quando o conteúdo é tão insosso. É bizarro ver que uma mulher com uma marca tão quente pode postar um texto tão sem graça.

★ **Sem engajamento:** Além disso, com exceção de um alô para os fãs para agradecer por curtir sua nova página no Facebook, a estrela não faz nenhum esforço para se engajar com os fãs. Pode parecer uma escolha estranha para alguém que gostaria que as pessoas comprassem seu perfume.

★ **O vídeo:** São seis minutos de duração. Shakira, hoje em dia ninguém no Facebook tem tempo de ver um vídeo de seis minutos sobre seu novo perfume, por mais que a gente goste de você.

O pacote completo, se você aguentar ver a coisa toda, deveria lhe dar um vislumbre da agitada vida de uma celebridade ao mesmo tempo em que revela seu lado humano. A equipe de Shakira poderia ter feito isso de muitas outras maneiras, além de oferecer valor aos fãs dela.

LIL WAYNE: BEM-VINDO À SPAM CITY, EUA

Desconheço outra maneira de começar essa análise além de parabenizar Lil Wayne por se tornar a primeira pessoa a transformar o Facebook no MySpace.

★ **Péssima gestão da página:** Permitir que as pessoas usem sua fan page para promover o próprio negócio e as próprias páginas do Facebook é um insulto a todos os fãs que o procuram para participar de sua comunidade. Além disso, você corre o risco de transformar esses fãs em antifãs, como provam os comentários expressando irritação "Tudo bem, Lil Wayne, a gente entendeu, você já postou isso oito vezes..." Essa pessoa vai ter de esperar sentada se espera uma resposta direta de Weezy... porque tudo indica que ele nunca entra na página. Jamais. A negligência dele na gestão da página, removendo spams e se engajando com as pessoas, sugere que ele não se importa com os fãs e dá poucas razões para eles se importarem ou voltarem à sua página do Facebook.

É difícil para mim tirar sarro do Weezy porque eu adoro a música dele, mas, sinceramente, quando não faz nada para se promover nas mídias sociais, você se coloca no mesmo patamar que amadores enfiando panfletos promocionais debaixo dos limpadores de para-brisa de carros estacionados na rua.

Lil Wayne • 46.102.897 pessoas curtiram isso
15 de abril às 17:06

America's Most Wanted Music Festival & Tour with com Lil Wayne, T.I. & Future
– O primeiro lote da pré-venda começa na quarta-feira, 17 de abril.
– Seja você também um Young Money Millionare para obter acesso antecipado aos bilhetes.
– Vc vai? Confirme sua presença na página do evento e não deixe de contar o que está rolando!
http://www.facebook.com/event.php?eid=5967918332415

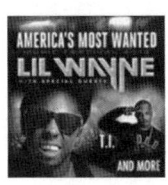

Lil Wayne @ Joe Louis Arena – Detroit, MI
9 de agosto às 20:00
Joe Louis Arena

Comparecerei • 840 comparecerão

MOSCOT: TALVEZ O POST MAIS CONFUSO DA HISTÓRIA DO FACEBOOK

Normalmente, essa pequena empresa norte-americana tem um desempenho de ouro no Facebook, mas este post, dando destaque a uma avaliação positiva da marca em um site israelense, é uma aula do que não fazer .

★ **Texto, texto e mais problemas com o texto:** Em primeiro lugar, o texto explicativo da foto de Johnny Depp está duplicado, em hebraico e em inglês (apesar de não ser fácil encontrar o texto em inglês). O Facebook não é o melhor lugar para submeter os fãs a uma torrente de texto.

★ **Texto indecifrável:** Em segundo lugar, o texto em maior destaque é em hebraico. O post domina a tela e, combinado com a foto de Johnny Depp, pode até levar os leitores a parar para ver do que se trata. Mas não por muito tempo. Assim que a maioria dos fãs perceber que não entende nada do que está escrito – a empresa é norte-americana e a maioria dos fãs idem, –, eles não hesitarão em ir embora. Poucos vão se dar ao trabalho de procurar o texto em inglês na minúscula foto de perfil e clicar em "Saiba mais" para ser finalmente recompensados com a tradução do artigo em inglês. Por fim, seja em hebraico ou em inglês, ninguém jamais deveria postar um texto com mais de mil palavras no Facebook.

Mais uma coisa. Aqui e em toda a página deles no Facebook, o Moscot curte os próprios posts. Que coisa feia, Moscot! Pare com isso.

MOSCOT •
Xnet
Israel
Abril de 2013
Saído do forno
... Saiba mais
Curtir • Comentar • Compartilhar • Abril

UNICEF: REVELANDO DEMAIS CEDO DEMAIS

Este post baseado em uma celebridade é outro exemplo de que ignorar as pequenas nuances de uma plataforma pode levar ao sucesso ou ao fracasso do conteúdo.

★ **Boa imagem:** O Unicef ganhou vários pontos com a imagem escolhida para este post. A instituição mostrou que estava ligada na cultura pop e escolheu a celebridade certa na pessoa da sempre popular Katy Perry. A imagem de uma Katy sorridente pulando corda com meninas em uma aldeia usando uma camiseta do Unicef foi acertadíssima e deveria ajudar a reforçar a conscientização da marca.

★ **Texto desleixado:** Só que eles pisaram na bola com o texto. O texto começa com "Quer saber o que a Katy Perry anda aprontando?" Boa pergunta. Provocativa. Envolvente. E aí o Unicef estraga tudo dando a resposta.

O post deveria ter terminado com aquela primeira frase, com um link levando à resposta. Deixar a pergunta em aberto deixaria as pessoas se coçando para saber mais e as manteria intrigadas o suficiente para seguir as migalhas de pão digitais do Unicef que levavam ao site da organização, onde poderiam ter apresentado um texto elaborado sobre o trabalho humanitário realizado em Madagascar e em outros países. Dar a resposta de cara tirou toda a energia e o estilo deste post.

Foi por pouco... com apenas alguns pequenos ajustes, este *jab* teria sido certeiro.

UNICEF
Quer saber o que a Katy Perry anda aprontando? Ela acabou de ir a Madagascar conosco para conscientizar as pessoas da situação das crianças de um dos países mais pobres do mundo, que ainda se recupera de uma crise política.
"Em menos de uma semana aqui, vi favelas em cidades apinhadas e vilarejos remotos e abri meus olhos para a incrível necessidade de se ter uma vida saudável – nutrição, saneamento e proteção contra o estupro e o abuso –, que o Unicef está ajudando a promover".
Sabemos que, com a visita de Katy, um número muito maior de pessoas vai se conscientizar das necessidades das crianças de Madagascar. Ajude-nos a fazer isso compartilhando este post e escrevendo uma rápida mensagem de agradecimento abaixo ou qualquer outra coisa que você queira dizer!

Obrigado, Katy!

© UNICEF/NYHQ2013-0169/Holt
Curtir • Comentar • Compartilhar • 7 de abril

LAND ROVER: INDO DO NADA A NENHUM LUGAR

Eu quis me matar quando vi este post da Land Rover pela primeira vez, mas, quando parei para pensar melhor, comecei a me perguntar se os problemas do conteúdo não teriam sido causados por uma falta de apoio corporativo às iniciativas da equipe criativa do marketing.

Land Rover USA
Estamos quase terminando nosso próximo projeto especial. A última peça da qual precisamos para concluir o projeto é você. Por favor, envie uma foto, ao estilo de passaporte, para o e-mail landroversocialmedia@gmail.com para ter uma chance de ser incluído.
Para saber mais sobre o nosso projeto, visite: http://ow.ly/hC1yo.

Curtir • Comentar • Compartilhar • 5 de março

- ★ **Sem identidade de marca:** Não me entenda mal, a execução foi estranha mesmo. Imagine uma coisa dessas entrando no seu Feed de Notícias. Você vê uma mulher espiando por um telescópio na sua direção. A foto não tem nenhum logo ou texto em destaque e só dá para saber do que se trata se você parar e apertar os olhos para ver o texto em letras miúdas espremido debaixo da foto.
- ★ **URL errada:** Na URL dá para ver que o post é da Land Rover, que eles estão preparando uma surpresa e gostariam que a gente mandasse uma foto de passaporte para o e-mail landroversocialmedia@gmail.com. Eles fizeram bem em manter o texto curto e direto, mas cometeram um erro crasso e que só fez empobrecer a marca. Como é que a Land Rover não criou um endereço de e-mail .landrover em vez de usar uma conta do Gmail? Além disso, o conceito de "foto de passaporte" deles deve ser bem amplo, porque a foto que eles usaram, com a metade da cabeça de uma mulher oculta por um telescópio, está bem longe de ser uma foto de passaporte. Isso pode não fazer diferença alguma, contudo, porque, quando clicamos no link que nos leva a uma página para sabermos mais sobre o projeto, eles não mencionam a exigência da foto de passaporte.
- ★ **Link que não leva a lugar algum:** Esse erro de padronização é pequeno, no entanto, se comparado com o fato de que o link nos leva do post da empresa no Facebook... diretamente a outro post da empresa no Facebook. O que me parece é que a equipe de criação não recebeu o apoio financeiro ou gerencial suficiente para executar o projeto com um site apropriado na internet.

Demonstrar um espírito empreendedor beligerante e contar as moedas para executar os projetos é algo admirável para uma startup, mas não para uma empresa do porte da Land Rover, que vende um produto razoavelmente caro.

STEVE NASH: UM INÍCIO DECEPCIONANTE

É totalmente possível que este post só tenha sido escolhido por mim porque meu querido amigo Nate odeia o Steve Nash (por ele ter deixado o time de basquete Phoenix Suns) e eu quis criticá-lo. Mas, fora isso, objetivamente falando, o post é simplesmente horrendo.

Até agora, Nash tinha cultivado uma sólida presença nas mídias sociais, respeitando as plataformas e engajando os fãs. Este post está tão longe disso que fiquei me perguntando se Nash não estaria cercado de experientes assessores de mídias sociais em Phoenix e perdeu o contato com eles quando se mudou para Los Angeles. A ideia do post era promover o Showdown da Steve Nash Foundation, um jogo de futebol beneficente com as estrelas do basquete contra os melhores jogadores de futebol do mundo.

★ **Design não nativo:** Qualquer pessoa que visitasse diretamente a fan page de Nash era convidada para o "HOWDOW" da Steve Nash Foundation. Se visse o post no celular, elas só viam "OWDOW". Você precisa tomar cuidado com a arte da atualização de status, e alguém da equipe de mídia de Nash dormiu no ponto.

★ **Link quebrado:** O URL incluído na atualização não leva a lugar algum, o que significa que Nash espera que os fãs tenham a paciência de recortar e colar o link no browser se quiserem ir ao site do Showdown. Posso garantir que nenhuma pessoa fez isso, o que é uma pena, porque o site é lindo, e a causa, muito digna e legal.

★ **Sem controle de spam:** Por fim, lá vamos nós de novo com o spam. O campo de comentários está repleto deles. Muita gente usa fan pages populares para se promover ou promover seu negócio e os administradores dessas páginas precisam se dar ao trabalho de eliminar sistematicamente os spams.

Todos esses erros só podem ser resultado de descuido ou preguiça. Os fãs de Nash merecem mais.

AMTRAK: USANDO A "SERRAGEM" PARA SE BENEFICIAR

Sou um usuário dos ônibus e trens da Amtrak e gostei de ver este post do Facebook. Adorei o post, que é um dos melhores *jabs* que já vi em um bom tempo. O melhor de tudo é que me permite esclarecer uma possível confusão sobre o que as mídias sociais podem ou não fazer.

> **Amtrak**
> Veja dois assentos do nosso trem Silver Star. Marque uma pessoa com quem você gostaria de viajar entre Nova York e Miami!
> Curtir • Comentar • Compartilhar • 5 de abril

★ **Excelente utilização da "serragem":** Você precisa ser muito esperto para achar um jeito de pegar uma foto de algo tão insípido, nada memorável, como dois assentos de trem, e transformá-la em um conteúdo divertido e energizante. Chamo objetos como esses assentos de trem de "serragem" – ativos que você pode ter largados em casa sem dar muito valor.

★ **Ludificação:** A Amtrak não só se beneficiou de sua serragem como conseguiu transformá-la em um jogo. Marque uma pessoa com quem você gostaria de viajar... um desafio divertido e inteligente que atinge o centro emocional das pessoas (apesar de ser um pedido relativamente grande que pode lhe render alguns resultados não confiáveis). E é uma excelente maneira de tirar proveito da plataforma. Todas as pessoas marcadas vão registrar imediatamente a marca Amtrak. É uma ótima

maneira de desenvolver a conscientização da marca, mesmo entre pessoas que ainda podem não ser fãs.
- ★ **Autenticidade:** E tem uma pessoa de verdade administrando o post. Dá para saber porque, quando um fã sugeriu Justin Bieber como companheiro de viagem, a Amtrak respondeu dizendo "Mas onde ficaria a Selena Gomez?" Com uma única frase, a Amtrak revela que seus funcionários são nossos contemporâneos, pessoas como nós, inteirados dos últimos acontecimentos da cultura pop, com senso de humor e um autêntico interesse pelos clientes.

A única crítica à Amtrak é que eles escolheram uma foto de uns assentos bem velhinhos e desgastados. A última vez que esses assentos viram um estofamento novo deve ter sido em 1964, quando eles provavelmente foram feitos. Isso leva a um equívoco que muitos profissionais de marketing cometem nas mídias sociais. Não se trata de maquiagem. Por mais que você seja brilhante, esperto ou autêntico, nada vai encobrir as falhas de seu conteúdo. Algumas pessoas vão gostar do visual retrô dos assentos, mas muita gente não vai achá-los muito atraentes. A Amtrak poderia ter escolhido assentos menos puídos ou limpado um pouco melhor esses assentos antes de postar uma foto deles. Esse senso estético equivocado foi o único detalhe a estragar um *jab* que, de outra forma, teria sido executado à perfeição.

BLACKBERRY: OS DETALHES QUE FALTAM FAZEM TODA A DIFERENÇA

Minha equipe e eu passamos alguns minutos tentando entender a história por trás deste post. Gostamos muito da ideia, mas percebemos que, se foi tão difícil descobrir o que a BlackBerry estava tentando dizer, a história não tinha como repercutir com um público que provavelmente passou menos de um segundo pensando a respeito.

★ **Técnica medíocre de storytelling:** Eu entendo a história que a BlackBerry estava tentando contar – o BlackBerry Z10 é dois telefones em um: um para trabalhar e um para se divertir. E, se você clicar no link abaixo da foto, é levado a um vídeo bem legal do YouTube mostrando todos os recursos especiais do celular. Além disso, você encontrará outro link que o levará à loja online do produto. Mas, embora a marca tenha optado corretamente por colocar a foto no centro da atualização de status, a imagem não nos conta história alguma. Por que não mostrar uma pessoa assistindo ao jogo de futebol do filho e uma foto dessa mesma pessoa no escritório? É preciso prestar muita atenção para ver a diferença entre as duas telas. Além disso, o texto fala sobre o equilíbrio entre vida pessoal e profissional, mas as telas estão invertidas, mostrando antes o trabalho e depois a vida pessoal. Foi meio desleixado.

E, por fim, as pessoas passam a vida inteira vendo telas e agora elas precisam ver telas em uma tela? É um pouco "metalinguístico" demais para uma empresa de dispositivos móveis.

A BlackBerry acertou em querer mostrar esse produto e contar sua história na mídia social, mas deveria ter prestado mais atenção aos detalhes da execução.

Blackberry
10 de abril

É possível atingir o equilíbrio entre vida pessoal e profissional (entra suspiro de alívio) com uma mãozinha do BlackBerry Balance: http://blck.by/Ytb4213

Curtir • Comentar • Compartilhar • 2 de abril

MICROSOFT: SURFANDO NAS ONDAS DO ZEITGEIST

É sempre bom ver uma empresa conservadora, nada "sexy", mostrar seu lado divertido ao surfar nas ondas do zeitgeist.

★ **Bom uso de links:** Neste *jab* empolgante, a Microsoft promove um produto chamado Fresh Paint, um app que lhe permite usar uma paleta de cores para "pintar" templates ou até suas próprias imagens e fotos. Os fãs podem ler tudo a respeito no blog que a Microsoft postou dois meses antes desta atualização de status, que pode ser facilmente acessado pelo link abaixo da imagem da Dory e do Nemo. No blog, ficamos sabendo como a Microsoft fez uma parceria com a Disney-Pixar para criar um "pacote Procurando Nemo" para o Fresh Paint, uma coleção de páginas para colorir originais e uma paleta adequada de cores. Eles foram espertos e se beneficiaram do anúncio da continuação do filme Procurando Nemo para exibir o novo produto.

★ **Oferece qualidade, valor e autenticidade:** O post mostra que a equipe de criação da Microsoft está de olho nas tendências culturais e é capaz de encontrar maneiras de participar da conversa. A marca também ganha pontos pela qualidade da imagem, pelo fato de a voz do texto não ser corporativa demais e pelo modo como oferece algo de valor à sua comunidade. Nesta atualização de status e no blog, a Microsoft realmente parece empolgada com o filme e o produto. Bem que mais empresas poderiam usar o Facebook tão bem quanto a Microsoft.

ZEITGEIST: ESQUECENDO-SE DE SER DESCOLADO

Este post é incrivelmente ruim. Ouvi dizer que o Zeitgeist é o bar mais descolado de São Francisco. O absurdo da coisa é que tudo o que há de errado nesse *jab* poderia ter sido evitado com facilidade se uma pessoa minimamente descolada tivesse criado o post.

> Zeitgeist SF • 7.762 pessoas curtiram isso
> 10 de abril às 23:40
>
> #ZeitgeistBeer Team @ #RussianRiverBrewing   http://t.co/OyDeAlb6i4
>
> Zeitgeist SF (@zeitgeistsf) postou uma foto no Twitter
> pic.twitter.com
> Veja esta e outras fotos do Zeitgeist SF

★ **Baixo valor no Facebook:** Para começar, o post em si não tem valor algum além de desviar os fãs para o Twitter. Quase não há texto, só uma confusão de hashtags. As hashtags se infiltraram tanto na nossa cultura que as pessoas estão começando a usá-las como uma conclusão irônica para as atualizações de status e até em conversas cotidianas. As hashtags agregaram muito ao apelo do Twitter e do Instagram, onde as pessoas tendem a indexar demais as coisas, e recentemente também foram incluídas na plataforma do Facebook. É possível que o Zeitgeist estivesse tentando incorporar as hashtags à sua voz, mas elas não funcionam neste caso.

★ **Formato incorreto do post:** Depois, é um post de link e, quando este post foi criado, os posts de link tinham um desempenho inferior ao dos posts de imagens com links (mas isso pode mudar no futuro). Neste caso, contudo, nem um post de imagem teria salvado a atualização de status. Poderia até ter piorado.

★ **Foto infeliz:** O link nos leva a uma conta do Twitter onde vemos que o Zeitgeist tuitou uma foto do que devia ser uma degustação de cervejas da Russian River Brewing, mostrando um grupo de pessoas sentadas em torno de um monte de cerveja. Mas a foto ficou tão escura e sem foco que é preciso se esforçar muito para enxergar do que se trata. Não faz sentido algum. O Zeitgeist é uma marca que tem tudo a ver com a tecnologia moderna. As fotos se tornaram uma espécie de moeda social. E essa foto está longe de ser espetacular. Nem chega a ser boa. É o tipo de foto que você deleta e tira outra. Ao permitir que essa arte inferior seja postada, o Zeitgeist sugere que na verdade não é tão bom com a tecnologia e está longe de ser tão descolado e badalado quanto seus clientes. É o tipo de mensagem subliminar que pode destruir uma empresa.

TARTINE BAKERY: UMA GRANDE CONFUSÃO

A Tartine Bakery, um café e confeitaria muito popular de São Francisco, publicou dois belos livros de receitas ilustradas que chamaram a atenção de todo o país e conquistaram muitos elogios. O post da empresa no Facebook, contudo, sugere que, como muitos empreendedores, microempresas e empresas da *Fortune 500*, eles estão dispostos a investir energia, esforço e dinheiro em plataformas convencionais mas ainda estão para alocar a mesma energia criativa e estratégica às plataformas contemporâneas, onde os fãs passam mais tempo. Este post tem tanta coisa errada que tive de editar meus comentários para caber em duas páginas.

> Tartine Bakery • 11.903 pessoas curtiram isso
> 30 de novembro de 2012 às 12:49
>
> BAR TARTINE (com link!) convida para: Hambúrgueres, Milk Shakes e Rifa Beneficente
> http://p0.vresp.com/SrcYLc #vr4smallbiz

- ★ **Mensagem nebulosa:** Este post na fan page da Tartine Bakery na verdade está promovendo um evento no restaurante irmão da confeitaria, o Bar Tartine. Tudo bem fazer a promoção cruzada entre diferentes comunidades, mas era preciso deixar bem claro que o evento não será na confeitaria, já que a maioria dos fãs procura a página em busca de notícias de lá, e não do restaurante.
- ★ **Texto desajeitado:** Eles escrevem: "BAR TARTINE (com link!) convida para..." Que frase bizarra e mal escrita. Além disso, o post demonstra que alguém da Tartine realmente acredita que os fãs são burros a ponto de não saberem para que serve aquele pequeno URL azul no fim do post.
- ★ **Hashtag irrelevante:** Qual é a ideia da hashtag? O post não nos direciona ao Twitter, então o que a hashtag está fazendo aqui?
- ★ **Sem foto:** Se você quiser fazer um post visualmente árido, mire-se no exemplo da Tartine. A empresa está promovendo um evento de caridade com comida e não pensou em estimular o nosso apetite com uma imagem provocativa de uma comida deliciosa ou alguma outra imagem descolada para nos empolgar com a ideia?

O quarto erro poderia explicar o erro número três. A Tartine não só deixou de incluir uma imagem para acompanhar o evento beneficente como parece que na verdade deletou a imagem. Quando anexamos uma URL a uma atualização de status, uma imagem em miniatura aparece automaticamente abaixo do post. Mas este post não vem com a imagem. Isso só pode acontecer se a pessoa optar por não incluí-la. Se você digitar a URL em seu navegador e for para a página do evento beneficente, vai entender por quê. Lá você encontra a foto mais horrenda do universo – de um hambúrguer desconstruído. A alface tem o vago formato de um dinossauro verde fluorescente; a carne, que mais se parece com tiras de radicchio coladas umas às outras, é de um vermelho brilhante por dentro, remetendo a algum tipo de acidente nuclear prestes a acontecer, coberta de lagartas verdes fluorescentes que provavelmente deveriam ser picles. É um pesadelo. Não é de admirar que a Tartine Bakery tenha optado por não mostrar essa "coisa" em sua fan page. O que levanta a questão: por que eles não entraram em cena para oferecer uma arte melhor para a organização que criou o website do evento beneficente?

★ Administração insuficiente da página: Por fim, voltando à fan page, os quatro comentários de spam – os únicos comentários que alguém se deu ao trabalho de fazer – são as cerejas no topo dessa porcaria de sundae.

TWIX: SÓ DIVERSÃO

O Twix lançou um bom *jab* com este post. Eles não incluíram o logo na foto, o que é uma pena, porque, como eu venho dizendo várias vezes, as imagens passam pelos feeds de notícias do celular com tanta rapidez que é fácil para os consumidores verem uma imagem sem registrar quem a postou. Apesar disso, o Twix é uma barra de chocolate tão icônica que a maioria das pessoas deve reconhecer de cara o que está vendo, então, neste caso, a ausência do logo não é um grande problema.

Twix
Se um TWIX for quebrado na floresta e ninguém estiver por perto para ouvir, o barulho continua sendo delicioso? – com Teko Imnadze, Adriana Aulestia e Keisha Hill.
Curtir • Comentar • Compartilhar • 8 de abril

★ **Storytelling inteligente, voz forte, bom uso da cultura pop:** No passado, a marca fez anúncios na TV com o som de um Twix sendo partido em dois e neste post eles reforçam essa história, fazendo uma brincadeira com o famoso enigma filosófico da "árvore na floresta". Gostei da ideia. O texto mostra que o redator tem uma boa noção da voz peculiar e divertida da marca. O bom nível de engajamento recebido pelo post prova que, quando uma marca consegue se incluir com habilidade no diálogo da cultura pop para contar sua história, os consumidores se interessam. Assim, a marca prepara o terreno para que os consumidores reajam assim que o Twix decidir desferir um gancho de direita no futuro.

COLGATE: UM BOM TEXTO QUE DEU ERRADO

★ **Texto interessante:** Eu diria que foi uma boa ideia escrever "Você sabia?" em letras maiúsculas. Posso ter gostado do texto desse post da Colgate porque cresci assistindo ao programa SportsCenter da ESPN (que tinha um quadro com esse bordão). De qualquer maneira, o texto é um reforço curto, direto e positivo do interesse da marca em ser relevante para uma comunidade que valoriza um estilo de vida saudável. Infelizmente, o excelente texto vem acompanhado de uma foto que tem todo o jeitão de ter sido retirada de um banco de imagens qualquer. O aspecto genérico da foto elimina qualquer reforço de marca que a empresa poderia ter conquistado com o texto. É interessante notar que o post acabou recebendo um bom engajamento. Eu atribuo isso ao bom texto. A marca poderia ter registrado um retorno ainda maior se tivesse tomado a simples medida de aplicar o logotipo da Colgate e o texto diretamente sobre a imagem. O post poderia até ter se tornado viral. Do jeito que está, pode provocar bocejos.

Colgate
VOCÊ SABIA?

Pesquisas demonstram que as pessoas que se oferecem para ajudar os outros melhoram o próprio humor!

Curtir • Comentar • Compartilhar •
6 de fevereiro

KIT KAT: FAZENDO UMA PAUSA

Esta seria uma atualização de status perfeita se não fosse por um pequeno, minúsculo erro que faz uma enorme diferença no alcance e na influência de qualquer post.

★ **Arte, tom, logo, texto... tudo perfeito:** Postado na sexta-feira antes do domingo do Super Bowl de 2013, a arte da atualização de status do Kit Kat é divertida e criativa e, com um tom perfeito, a imagem e a arte emprestam uma voz lúdica ao diálogo global. No canto direito, eles incluíram o slogan, uma excelente alternativa ao logotipo da empresa. Mais marcas deveriam usar seu slogan e incorporá-lo sistematicamente a suas ações de mídia social. O produto foi utilizado com destaque e astúcia; o texto, a tagline e o slogan da marca repercutem entre si; a referência cultural é universal. O único passo em falso foi o timing do post.

★ **Timing equivocado:** O Super Bowl de 2013 teve como destaques os Baltimore Ravens de Baltimore e os 49ers de São Francisco. A marca publicou esse post às 6 da manhã, horário de Baltimore. Em geral, um post publicado às 6 da manhã não consegue bons índices porque só atinge os madrugadores. Muitos fãs dos Ravens em Baltimore deviam estar checando o Facebook de manhã, então o post não deve ter sido uma perda total. Mas e os fãs do 49ers em São Francisco? Eram 3 da manhã no fuso horário de São Francisco quando o post foi ao ar. Este deve ser o pior horário para postar qualquer coisa nas mídias sociais. Até as pessoas com dois empregos estão dormindo às 3 da madrugada. Caramba, até eu estou dormindo às 3 da manhã (quando meu bebê deixa). Ninguém na Costa Oeste estava no Face quando o Kit Kat postou essa atualização de status. Trata-se de um excelente exemplo de como o desconhecimento dos fatores psicológicos e dos comportamentos dos usuários das mídias sociais pode enfraquecer até as melhores iniciativas. Nesse caso, foi uma grande infelicidade, porque o desempenho do Kit Kat é tão forte nessa arena que as outras empresas deveriam estar se inspirando nos *jabs* da marca.

> **SUPER BREAK**
> **XLVII**
>
> **Kit Kat**
> Faça uma Super Pausa neste domingo – com **Waqas Ahmed Choudhry, Malik Shahid, Asim Malik, Nidula Athulathmudali, Ivan Franco, Nyo Ya Lin** e **Mailka Aslam**.
>
> Curtir • Comentar • Compartilhar • 1 de fevereiro

LUKE'S LOBSTER: SEM LOGO

Eu adoro esse lugar. Só minha esposa, Lizzie, sabe quanto. Uma vez, fomos comer lá quatro dias seguidos. Neste post, o Luke's Lobster fez um bom trabalho com o texto. Mas, como a Linha do Tempo da empresa apresenta fotos de comidas feitas de lagosta praticamente 365 dias por ano, teria sido uma boa surpresa mostrar um pouco de talento materno em um post do Dia das Mães. Foi uma oportunidade perdida.

O maior problema, contudo, é que seria fácil para o observador rápido e casual achar que esse post foi publicado pela Cape Cod Potato Chips. Muitas marcas postam no Facebook e no Instagram fotos que incorporam produtos de outras empresas e não vejo problema algum com isso... contanto que sua foto inclua o logo de sua empresa em destaque, em um canto bem visível. Isso é algo que você precisa realmente fazer. Sempre.

Luke's Lobster
Se precisássemos escolher uma pessoa para ir com a gente na Arca de Noé... seria a nossa Mãe! Feliz Dia das Mães!
Curtir • Comentar • Compartilhar • 12 de maio

DONORS CHOOSE: BOA TENTATIVA

Muitas organizações sem fins lucrativos enchem tanto de lixo o universo das mídias sociais que fazem até as curtidas do Lil Wayne parecerem OK (veja a página 59). Esse conteúdo não apresenta os elementos de branding ou muitos dos detalhes importantes que exigi de outras empresas, mas, por serem raras as organizações sem fins lucrativos que fazem qualquer coisa no Facebook além de lançar ganchos de direita pedindo dinheiro ou convidando as pessoas para eventos de angariação de fundos, que tendi a ser mais generoso com a Donors Choose por desferir este *jab*. Com efeito, em geral eles postam muitas atualizações de status mostrando que estão mais focados nos *jabs*. Não sei nada sobre essa ONG nem sobre como é administrada, mas essa citação me parece ter um tema adequado e estar vinculada à missão da organização. É a mais pura verdade que é bem genérica, mas quem sabe se um dia eles não lerão este livro e aprenderão como melhorar um pouco a qualidade do conteúdo? Enquanto isso, podem se voltar um pouco mais à gestão de sua comunidade, que atualmente é quase inexistente. Se existe algum lugar que precisa demonstrar um lado humano forte é no mundo das organizações sem fins lucrativos.

> "Precisamos ensinar as crianças a pensar, não o que pensar."
> **Margaret Mead**
>
> DonorsChoose.org
> Curtir • Comentar • Compartilhar • 3 de junho

INSTAGRAM: UM CASO CLÁSSICO... NÃO NO BOM SENTIDO

Como seria de se esperar, a página do Instagram no Facebook está repleta de imagens impressionantes e esta imagem acompanhada de uma lista de usuários do Instagram expondo suas obras na Bienal de Veneza é maravilhosa. O anúncio em si, contudo, mostra que, quando o Facebook comprou o Instagram, eles não deram a seus novos colaboradores um tutorial sobre como contar bem uma história na própria plataforma. Como uma subsidiária do Facebook poderia postar uma imagem com tanto texto? Eles nem chegaram a incluir um slogan ou um argumento de vendas. O Instagram poderia muito bem ter postado um livro inteiro em sua Linha do Tempo e gerar a mesma empolgação que este post.

Instagram
A cada dois anos, Veneza se transforma no centro do mundo das artes. Fundada em 1895, a Bienal de Veneza é uma importante exposição de arte contemporânea e chega a ser quase equivalente aos Jogos Olímpicos da arte. Os 88 países participantes daquele ano escolheram artistas promissores para criar instalações elaboradas nos pavilhões e palácios nacionais da cidade alocados a cada país. As instalações foram abertas ao público para serem vistas por mais de 350 mil visitantes antes de a Bienal chegar ao fim em 24 de novembro.

Para ter uma prévia da Bienal, não deixe de seguir os seguintes usuários do Instagram:
* Artista chinês Ai Weiwei
(http://instagram.com/aiww)
* Artista brasileiro Vik Muniz
(http://instagram.com/vikmuniz)
* Artista americano Tom Sachs
(http://instagram.com/tomsachs)
* Artista francês JR (http://instagram.com/jr)
* Jornalista independente Erica Firpo
(http://instagram.com/moscerina)

Foto de @giariv
http://instagram.com/p/Z-vf5UxqeE/

Curtir • Comentar • Compartilhar • 9 de junho

CONE PALACE: DELICIOSO

Preciso agradecer à Cone Palace por me dar a chance de elaborar um comentário sobre como deve ser uma boa estratégia de microconteúdo. A Cone Palace é um restaurante na cidade de Kokomo, Indiana. Nunca provei a comida deles, mas, se os proprietários derem tanta atenção à qualidade e ao sabor dos alimentos quanto à sua estratégia de marketing no Facebook, isso sem dúvida seria uma boa razão pela qual eles estão no negócio desde 1966.

A Cone Palace conquistou cerca de 2 mil fãs assim que lançou sua página no Facebook, promovendo um grande evento e oferecendo um desconto de 10%. Mas, apesar de as pessoas terem topado entrar na comunidade, elas provavelmente se dispuseram a ficar por conta do bom conteúdo. Os padrões da empresa são elevados e rigorosos. Antes de postar qualquer coisa, eles se perguntam: "Se eu visse esta foto, será que a compartilharia?" Se a resposta for não, eles não postam. Esse é um exemplo que muitos profissionais de marketing deveriam seguir. Não espere que as expectativas e os padrões de seus consumidores sejam mais baixos do que os seus.

Cone Palace
Um clássico. Todo mundo adora uma Banana Split
Curtir • Comentar • Compartilhar
19 de junho

Cone Palace
Viu a previsão do tempo para os próximos 5 dias?! Estamos muito empolgados!!
Curtir • Comentar • Compartilhar
25 de abril

Os posts não são complicados e são só de dois tipos: fotos de comidas que eles servem e posts de texto anunciando promoções e novos itens no cardápio, ou posts que usam eventos locais (incluindo aniversários das pessoas), o clima e feriados para contextualizar o negócio. Pessoas de personalidade analítica podem não confiar nos métodos não científicos, às vezes baseados em relatos, da Cone Palace para mensurar o ROI, mas, quando eles postam a foto de um hambúrguer com batatas fritas e os fãs postam comentários dizendo que estão com água na boca e que vão almoçar na Cone Palace, eu diria que é possível dizer que o conteúdo efetivamente aumenta as vendas.

E que conteúdo! No começo, a própria equipe tirava fotos da comida com um iPhone. Depois eles notaram que, volta e meia, quando postavam um foto de qualidade particularmente alta, o número de engajamentos e interações disparava. Então eles investiram num fotógrafo profissional que tira todas as fotos de comida para eles.

Eu jamais teria a audácia de sugerir que todas as empresas, especialmente uma lojinha de fundo de quintal, deveriam contratar um fotógrafo profissional para tirar fotos de seus produtos para postar nas mídias sociais, devido ao enorme custo que isso representaria, mas no fundo é exatamente isso que eu gostaria que toda empresa fizesse. E, como dizem, se você tem o desejo, há sempre um caminho. Já ouviu falar de barganha? É uma ideia que a gente deveria levar mais a sério. Quando olho para trás, me dou conta de que teria sido muito fácil trocar vinho por fotos profissionais dos rótulos de vinho se eu quisesse. Se você for um autônomo – um vendedor de sapatos, um advogado, um eletricista ou talvez um corretor –, pode muito bem oferecer um serviço ou produto em troca de outro serviço ou produto do qual precisa, como fotografias profissionais. Seria um excelente investimento. Uma bela foto de seu produto faz toda a diferença do mundo. Dê uma olhada na foto do folhado de maçã no mural da Arby's no Pinterest na página 128. Você preferiria comer lá ou no Cone Palace?

Só tem uma coisa que o Cone Palace poderia ter feito melhor: quando essa foto genérica de uma banana split passasse voando pelo Feed de Notícias das pessoas, teria sido interessante para o Cone Palace se as pessoas vissem o logo da empresa na parte de baixo da foto ou no canto superior esquerdo. Você acha que estou batendo demais na mesma tecla? INCLUA SEU LOGO NA IMAGEM!

Meus parabéns para uma empresa que descobriu um jeito de inovar e evoluir durante meio século e não dá sinais de parar.

REGGIE BUSH: MOSTRANDO SEU LADO HUMANO

Devo começar dizendo que se Reggie Bush ainda estivesse jogando nos Dolphins, e não nos Lions, ele jamais teria sido incluído neste livro. Eu odeio os Dolphins. Mas, agora que está no Lions, posso lhe dar uns tapinhas nas costas. Ele merece.

Qualquer celebridade que tiver uma página no Facebook deveria se inspirar no lado humano e na empatia dele. Eu simplesmente adoro o que Reggie Bush fez em sua Linha do Tempo no Facebook, oferecendo um mistura incrível de citações inspiradoras, fotos de família, cumprimentos para pessoas que ele admira (tanto celebridades quanto não celebridades) e reflexões e histórias pessoais. O modo como ele alavancou o conteúdo lhe possibilita ser visto como uma pessoa que tem um lado humano extraordinário. Esta foto em particular não é perfeita, já que o brilho encobre um dos números. Mas ele usa bem a foto para engajar sua comunidade, fazendo do post um *jab* perfeito e preparando o terreno para qualquer gancho de direita que decida desferir no futuro.

Reggie Bush
Se você entende alguma coisa de remo, este foi meu tempo hoje. Você acha que foi bom?
Curtir • Comentar • Compartilhar • 12 de abril

PERGUNTAS QUE VOCÊ DEVE FAZER AO CRIAR SEU MICROCONTEÚDO PARA O FACEBOOK

O texto é longo demais?

É provocativo, divertido ou surpreendente?

A foto é chamativa e de alta qualidade?

O logotipo está bem visível?

Escolhemos o formato certo para o post?

O *call to action* está no lugar certo?

O post vai ser interessante para alguém? De verdade?

Será que estamos pedindo demais da pessoa que só está lá para consumir o conteúdo?

QUARTO ROUND

ABRA BEM OS OUVIDOS NO TWITTER

- Lançado em: março de 2006
- Em 2016, a plataforma tinha mais de 136 milhões de usuários nos Estados Unidos e 310 milhões no mundo todo.
- O conceito do Twitter nasceu em uma sessão de brainstorming realizada no alto de um escorregador em um playground de São Francisco.
- O nome oficial do passarinho azul do logo da empresa é Larry, em homenagem a Larry Bird, ex-jogador de basquete (Boston Celtics).
- A JetBlue foi uma das primeiras empresas a usar o Twitter para conduzir pesquisas de marketing e prestar atendimento ao cliente.
- Os usuários postam 750 tuítes por segundo.

Falo sobre o Twitter quase com o mesmo carinho com que falo sobre meus filhos. A plataforma afetou muito minha vida desde que comecei a usá-la para me comunicar com meus clientes em 2007. Sou um cara extrovertido que consegue conhecer todas as pessoas de uma sala cheia em apenas algumas horas e me senti em casa nesse ambiente de 140 palavras tão propício à socialização. É a plataforma que considero mais natural, por se prestar à perfeição a pequenas rajadas de conversas rápidas e trocas de ideias. Se a única plataforma que eu tinha à disposição no início de 2006, quando comecei a contar histórias sobre meu negócio familiar, a Wine Library, exigisse textos longos, como uma coluna de revista ou um blog, o negócio estaria longe de ser o que é hoje. As restrições do Twitter realçam meus pontos fortes. Devo a ele parte da minha carreira.

No entanto, não é fácil falar sobre o Twitter em um livro dedicado a melhorar o conteúdo nas mídias sociais, porque, nessa plataforma, e só nela, o conteúdo muitas vezes tem muito menos valor do que o contexto. Como posso dizer isso se o Twitter é uma das maiores fontes de notícias e informações desta geração? Porque, com poucas exceções, como o popular microconteúdo que é o gato rabugento Grumpy Cat, o sucesso de uma marca no Twitter raramente se baseia no conteúdo que produz. Pelo contrário, está ligado ao valor do contexto que se agrega ao conteúdo – próprio e produzido pelos outros.

Antes de explicar, preciso reconhecer que, ao escrever estas linhas, muitas mudanças estavam em curso no Twitter. Até agora, graças a suas origens como um serviço de mensagens de texto por celular, sua beleza tem sido simplicidade – duas ou três linhas de texto, um link e talvez uma hashtag. Mas, no fim de 2012, a empresa comprou o Vine, o serviço de looping de vídeos de seis segundos, e inovações como o Twitter Cards agora permitem que as pessoas anexem fotos, vídeos e música a seus tuítes, incorporando, assim, as vantagens de outras plataformas visualmente mais empolgantes, como o Facebook e o Pinterest. Essas melhorias visuais abrirão o caminho para as empresas fornecerem ao Twitter seus conteúdos de maneiras originais e diferentes. Por exemplo, você poderia tuitar uma peça de um quebra-cabeça e anunciar que, se ela for retuitada mil vezes, você enviará outra. Quando todas as peças forem tuitadas, o quebra-cabeça revelaria onde as pessoas poderiam ir para obter um vale-presente de US$ 25. Vai ser divertido explorar novas formas de executar *jabs* e ganchos de direita criativos em um ambiente tão pitoresco e propício à comunicação móvel.

Mas isso tudo ainda está em evolução. Nem sei se a "facebuquificação" do Twitter fará tanta diferença para as marcas que ainda não ganharam ímpeto naquela plataforma, porque os penduricalhos adicionais não vão forçar os profissionais de marketing a mudar o modo como realmente a utilizam. Mas esperemos que este capítulo mude isso.

O maior erro que a maioria dos profissionais de marketing comete é usar o Twitter como uma extensão de seu blog, um lugar para divulgar o link de um conteúdo que já postaram em outro lugar. Muitas vezes, também usam a plataforma como lugar para se gabar, retuitando comentários favoráveis, uma nova forma de falsa modéstia que chamo de "birdiebrag". Existe um momento e um lugar certo para esses dois tipos de ganchos de direita, mas não como faz a maioria das empresas. O Twitter recompensa as pessoas que ouvem e dão, e não as que pedem e recebem. Na maior parte do tempo, ler um feed do Twitter é ler um número estonteante de ganchos de direita. No entanto, se um dia houve uma plataforma na qual o engajamento e a gestão da comunidade têm poder, ela é o Twitter. Muito se fala e se vende lá, mas isso é feito sem engajamento suficiente, o que acaba sendo visto como dissimulação, já que o Twitter é ponto de encontro e de socialização da internet, um lugar onde saber ouvir gera enormes benefícios.

CONTE A HISTÓRIA DO SEU JEITO

Se a principal moeda do Facebook é a amizade, no Twitter são as notícias e as informações. Entre e verá 85 pessoas e marcas anunciando ao mesmo tempo que o casal Brangelina estaria grávido de novo ou que Oklahoma foi varrido por outro tornado. Qualquer pessoa pode apresentar notícias e, sozinhos, os tuítes sobre seu produto ou serviço não passam de pequenas gotas no dilúvio de informações que atingem as pessoas quando estão na plataforma. A única maneira de se diferenciar e despertar o interesse é por meio de um contexto sem igual. O sucesso no Twitter não é uma questão de ser o primeiro a anunciar a notícia ou espalhar a informação, mas de ser um DJ de notícias. As notícias têm pouco valor por conta própria, mas a marca ou a empresa capaz de contar, interpretar e remixar a informação em seu estilo pessoal muitas vezes poderá contar uma história mais eficaz e memorável do que a notícia em si.

Por exemplo, se sua empresa for um cinema em Minneapolis, pode tuitar "Acabamos de ler... uma excelente análise do *Star Tribune* sobre o último filme de Bradley Cooper". Essa é uma maneira comum de tuitar – um pouco de conteúdo, o link do site e pronto. Mas, e se você investisse mais do que o mínimo de esforço nesse *jab*? E se, em vez de apresentar só fatos tediosos, apresentasse algo novo? Não seria muito mais interessante se você escrevesse: "O *Star Tribune* pirou. Este filme é uma droga!" e depois incluísse o link? Esse é um *jab* capaz de atingir alguns centros emocionais. Será que malhar um produto que você vende vai prejudicar as vendas? Na Wine Library TV, fiz análises negativas de vários vinhos que estavam à venda na minha loja e isso deu mais uma razão para as pessoas confiarem em mim. Mas, se você se preocupar muito com isso, pode transformar sua avaliação negativa em uma oportunidade positiva com um tuíte como "O *Star Tribune* adorou o novo *thriller* de Bradley Cooper. A gente acha que o filme é uma droga. Leia. Assista. Discuta". Você poderia incluir um link levando ao seu blog, onde não apenas teria postado a avaliação, mas também informações sobre onde e quando seu clube do filme se reúne todo mês. Seria um gancho de direita fantástico. Agora você se posicionou como uma empresa provocativa, que defende as próprias opiniões e oferece uma experiência única, uma história que as pessoas terão interesse em seguir.

Hoje em dia, o entretenimento e o escapismo são mais valorizados do que qualquer outra coisa. Os consumidores querem informação divertida, não só informação. As informações são baratas e abundantes, e as envoltas em uma história são especiais. As marcas precisam contar uma história em torno de seu conteúdo para torná-lo atraente, e não meramente publicá-lo para consumo passivo, como um prato sem graça de queijo em cubinhos.

EXPANDA SEU UNIVERSO

Dê uma opinião, posicione-se, imponha sua voz... É assim que você consegue dar *jabs* eficazes em seus seguidores do Twitter. Mas e todas aquelas pessoas que nunca ouviram falar de você? Como atingi-las com seus *jabs*?

Além da fácil experiência móvel que oferece, o Twitter está em uma categoria distinta das outras mídias sociais devido ao convite aberto para falar para o mundo todo. No Facebook, no Tumblr ou no Instagram, você só tem duas opções se quiser conhecer novos fãs e clientes em potencial. Para começar, alguém precisa conhecê-lo offline, em um curso, livro, anúncio ou loja física e decidir segui-lo. Em segundo lugar, um cliente pode compartilhar um conteúdo seu e o amigo desse cliente pode ficar curioso e querer segui-lo. De um jeito ou de outro, você é forçado a esperar do lado de fora até a pessoa decidir deixá-lo entrar. Até a ferramenta de busca do Facebook, o Open Graph, só mostra a histórias e conversas compartilhadas com o público em geral. Todas as outras ficam inacessíveis.

Os usuários do Twitter, contudo, têm uma política de portas abertas (com a exceção de um número bastante limitado de perfis privados) e usam a plataforma sabendo que seus tuítes estão lá para todo mundo ver. Na verdade, esse é o grande apelo dele. As pessoas no Twitter querem atenção e recebem de braços abertos as conversas espontâneas que um tuíte pode gerar. Desconhecidos do mundo inteiro, sendo que muitos deles jamais se encontrarão pessoalmente, conseguiram construir robustas comunidades online baseadas em nada mais do que um interesse mútuo compartilhado sobre cavalos-marinhos ou luta livre. E as pessoas adoram o modo como o Twitter possibilitou às empresas melhorar o atendimento ao cliente. Se quiserem chamar atenção de qualquer marca, tudo que precisam fazer é mencioná-la e as pessoas reagirão, porque a marca está lá, usando o Twitter para ajudá-la a se comunicar com os clientes e criar uma comunidade.

Na verdade, essa última frase revela uma grande ilusão. Muitas empresas ainda dão muito pouca atenção às conversas sobre elas na internet, cedendo o controle sobre o modo como a marca é percebida e permitindo à concorrência entrar em cena e virar a conversa a seu favor. Por sorte, já escreveram um livro oferecendo explicações detalhadas sobre por que e como o Twitter pode ser uma das ferramentas mais eficazes de atendimento ao cliente de uma empresa. Estou falando do meu livro anterior, *Gratidão*. Leia, garanto que é bom.*

Brincadeira à parte, o Twitter é o sonho de qualquer marca ou empresa, porque lhe permite iniciar um relacionamento com o cliente. Ainda é a única plataforma em que é possível entrar em qualquer conversa sem se apresentar e ninguém olha torto. Ali, você não precisa de permissão para mostrar o quanto se interessa pelo cliente. A qualquer momento, você pode usar a poderosa ferramenta de busca do Twitter para encontrar pessoas que estão falando sobre temas relacionados ao seu negócio, mesmo indiretamente, e entrar na conversa expressando-se com seu ponto de vista, senso de humor e contexto.

Um varejista de móveis de escritório não precisaria de muita imaginação para se engajar com pessoas que mencionarem o nome da empresa ou usarem palavras como *trabalho, empregado, empregador, escritório, mesa, cadeira, impressora, scanner* e outros termos relacionados ao ambiente de trabalho. Agora pense em todas as maneiras interessantes nas quais a empresa poderia se engajar com usuários com as seguintes expressões: prazo para entregar o relatório, dor nas costas, fluorescente, happy hour, aumento salarial, promoção no trabalho, fim de semana, giratória ou bagunça.

Usar a busca do Twitter desse modo pode ajudá-lo a encontrar oportunidades de contar histórias a pessoas que já sabem sobre você ou que manifestaram interesse em te-

---

* Que tal esse gancho de direita?

mas relacionados a seu produto ou serviço. Mas o que dizer de todos aqueles consumidores que adorariam sua marca ou empresa se soubessem da sua existência? O Twitter possibilita atingi-los também. Você só precisa saber como surfar nas ondas do zeitgeist cultural.

NA TRILHA DAS TENDÊNCIAS

Nessa nossa cultura tagarela e conectada, não há recurso melhor do que as tendências do Twitter para criar contexto e um conteúdo atualizado em tempo real, essencial para se manter relevante. A capacidade do Twitter de rastrear tendências é uma das ferramentas mais eficazes porém mais subutilizadas. Você pode configurar sua conta para monitorar tendências globais, nacionais ou até regionais. Aprender a dar *jabs* com as tendências lhe dá um poder incrível. É possível adaptar o conteúdo a qualquer situação ou grupo demográfico, estimular o interesse por seu produto ou serviço entre pessoas que não estão entre seus seguidores e mostrar a um número maior de pessoas que você se preocupa com elas. E, melhor de tudo, pode pegar carona no conteúdo dos outros, sem precisar pensar em textos criativos e originais todo dia. Você continuará publicando conteúdos originais, mas, nesse caso, serão sobretudo o contexto que cria para contar sua história.

Na véspera de eu começar a escrever este capítulo, foi exibido o último episódio da série de TV *30 Rock*. Quando entrei no Twitter no dia seguinte, como esperava, lá estava a série, na lista dos dez *trending topics* nos Estados Unidos. Pensei que, se os consumidores queriam falar sobre o *30 Rock*, as marcas e empresas deveriam estar correndo para contar suas histórias no contexto da série. Será que falar sobre um programa extinto de TV pode ajudá-lo a vender mais doces, pés-de-cabra ou queijo? Pode, se você for criativo. Para uma marca tentando surfar na onda do *30 Rock*, o segredo é procurar associações inesperadas, não óbvias. Veja um exemplo: sete. O show foi ao ar durante sete anos. Sua empresa está no mercado há sete anos? Você espera fazer alguma coisa durante sete anos? Tem a palavra ou o número sete no nome de sua empresa? Uma marca tem: a 7 For All Mankind, fabricante de jeans sofisticados – às vezes apelidados de "sevens" – não raro usados por celebridades de Hollywood. Curioso para ver como a marca capitalizou o presente do Twitter para seu departamento de marketing, decidi dar uma olhada nos tuítes mais recentes da empresa.

Uma olhada na página da 7 For All Mankind (@7FAM) no Twitter no dia seguinte ao último episódio da série

30 Rock revelou um leve engajamento com os clientes – o que é mais do que algumas empresas conseguem fazer, então parabéns para ela –, alguns retuítes compartilhando comentários positivos das pessoas sobre a linha de vestuário da empresa – não muito bom, porque isso é uma forma de "birdiebrag", a falsa modéstia no Twitter que tantas outras companhias já fazem – e uma série de ganchos de direita tradicionais, como "Quem é que não adora uma boa jaqueta de couro?", com um link levando à página do produto. Mas não vi qualquer indício de que a marca tinha alguma noção do que estava acontecendo fora do mundo da moda. Achei um pouco irônico – qual outro setor gira mais ao redor das tendências do que a moda? Um dos programas de TV de maior sucesso da década tinha acabado de chegar ao fim de sete anos de transmissão e a 7 For All Mankind nem chegou a tocar no assunto. Que desperdício! Ela pode dialogar com os amantes do jeans todos os dias, mas naquele dia tinha a oportunidade perfeita de contar sua história a pessoas que não estavam pensando em jeans e perderam a chance. Ainda mais aflitivo foi constatar que a empresa parecia estar perdendo todas as oportunidades. Não foi só que optou por ficar de fora da onda do *30 Rock*; os tuítes revelavam que não estavam surfando em nenhuma notícia ou atualidade, fora as que ela mesma criava por meio de sorteios, brindes e vendas.

A 7 For All Mankind é uma empresa em plena expansão que vende um excelente produto, ou não teria o grupo de seguidores dedicados que conquistou ao longo de uma década no negócio. E, apesar de seu perfil no Twitter ser desprovido de relevância cultural, a marca se empenha em engajar seus seguidores e acompanhar as conversas sobre seus produtos. Mas isso é só o básico no Twitter, o que se fazia nos idos de 2008. A essas alturas deveria estar fazendo muito, muito mais. É uma sorte que a empresa seja tamanha potência no mundo da moda (o que também explica por que achei que aguenta um pouco de crítica construtiva); se fosse uma companhia menor, começando, o hábito de ignorar todas as oportunidades de contar sua história fora do mundo do jeans ou da moda poderia prejudicá-la. Os consumidores não vivem em uma bolha de moda; por que um fabricante de roupas deveria ficar enclausurada em seu mundinho?

TUÍTES PROMOVIDOS

Para criar contexto em torno de hashtags em alta (os "Assuntos do Momento" no Twitter), você só precisa investir tempo, mas comprar um Tuíte Promovido também pode ser um excelente investimento. No mesmo dia em que o *30 Rock* ficou em alta, o mesmo aconteceu com o #GoRed, porque a American Heart Association patrocinou o National Wear Red Day (Dia Nacional de Usar Roupa Vermelha), para aumentar a conscientização sobre a luta contra as doenças cardíacas. Acima da hashtag, havia um anúncio do sabão líquido para lavar roupas Tide com os dizeres: "É maluco ver como o Tide se livra de manchas difíceis, mas e as manchas que você prefere manter?" Aha! Cor. Com a hashtag #GoRed, a Tide viu a chance de chamar a atenção para o fato de que o produto não desbota as roupas. Foi um uso inteligente de uma hashtag. Foi micro, foi barato e causou uma boa impressão.

Pare um pouco para pensar a respeito. Os consumidores chegam a passar cerca de quatro horas por dia no celular e não existe uma plataforma mais móvel que o Twitter. Apesar de toda a atenção do consumidor que ele atrai, dá para incluir um anúncio nessa plataforma a preço de banana em comparação com o que custa um anúncio na TV. Foi uma utilização inteligente dos recursos da Tide alocados às mídias sociais. Muitas empresas poderiam ter aproveitado essa oportunidade. Onde estava a Crayola, fabricante de giz de cera? E a loja de departamentos Target, com seu grande alvo vermelho? Ou a Red Envelope, varejista de presentes com um nome tudo a ver?

APROVEITANDO AS TENDÊNCIAS PARA DESFERIR GANCHOS DE DIREITA

Os temas em alta podem ser nomes ou notícias, mas também podem ser memes, palavras e frases que se tornaram fenômenos virais. Os memes são soluções fáceis, levando a um storytelling perfeito para qualquer marca ou empresa, em especial companhias locais em busca de uma maneira divertida e criativa de se diferenciar dos concorrentes.

Quando eu estava trabalhando neste capítulo, o tópico que ocupava o quinto lugar no Twitter era #asvezesvoceprecisa. Você nunca vai conseguir um gancho melhor para desferir seu golpe de direita. Qualquer um poderia adaptar essa hashtag às próprias necessidades:

A loja de queijo poderia dizer: "#asvezesvoceprecisa comer uma fatia do Clothbound Cheddar da Cabot".

Uma academia de ginástica poderia dizer: "#asvezesvoceprecisa usar a sauna para se motivar".

Um advogado poderia dizer: "#asvezesvoceprecisa consultar um advogado para resolver seus problemas".

Aproveitar as hashtags é uma excelente maneira de as microempresas chamarem a atenção. Uma hashtag em alta é clicada por dezenas de milhares de pessoas. Nada impede alguém de ver sua versão, gostar dela e ir ao seu perfil para ver o que você tem a dizer. No seu perfil, a pessoa poderá ver toda sua história, com seu fluxo constante de *jabs* e ocasionais ganchos de direita. E pode decidir segui-lo. Talvez ela precise de um advogado. Talvez tenha uma razão para acreditar que um dia vai precisar. De um jeito ou de outro, agora você está muito mais perto de conquistar um novo cliente quando chegar a hora certa.

É o que poderia acontecer com um DJ de Miami chamado DJ Monte Carlo. Quando cliquei nessa hashtag em alta, dei de cara com o tuíte dele: "#asvezesvoceprecisa perdoar quem te magoa, mas nunca esquecer a lição".

```
Resultados para #usopen
relacionados: #usopengolf, #merion, merion

Quem seguir • Ver todos
    US Open Tennis   @usopen                      [Seguir]
    Twitter oficial dos campeonatos do US
    Open Tennis. Datas em 2013: 26 de
    agosto – 9 de setembro | #usopen

Tweets Principais/Todos/Pessoas que você segue
             53 novos Tweets

    KPMG Mickelson                                13 de junho
    O #DiadosPais está chegando. Já escolheu seu
    presente? Vá direto ao #PhilsBlueHat. Peça seu
    em PhilsBlueHat.com
    Promovido por KPMG Mickelson
    Expandir
```

Gostei da mensagem. Atingiu meu centro emocional. Decidi seguir o DJ Monte Carlo e ele acabou no meu Twitter, onde meu colega Sam o encontrou. Não costumo sair à noite, mas Sam é assíduo. Talvez ele tenha decidido seguir o DJ Monte Carlo também. E talvez, em seis meses, Sam poderia estar rolando seu feed do Twitter e ver o Monte Carlo lançando um gancho de direita, anunciando que estará em uma casa noturna de Nova York naquela noite. E quem sabe Sam não decide ir lá vê-lo?

Sacou a ideia? Não estou falando de um cenário absurdo. É assim que a cultura do Twitter funciona todos os dias. Então seja criativo, divirta-se e comece a fazer seus experimentos criando conteúdo na hora, porque os assuntos em alta que você vê agora podem desaparecer no minuto seguinte. Eles têm vida curta.

Outra coisa que você deve notar é que o simples fato de um tema não ter sido incluído nos dez Assuntos do Momento do Twitter não quer dizer que não vale prestar atenção nele. O maior grupo demográfico do Twitter é um pessoal moderno e urbano, mas essas não são as únicas pessoas dialogando na internet. Também é preciso checar os interesses do resto do mundo. Procure pistas nas tendências do Google. Os criadores dessas tendências também são jovens, como tudo na internet, mas representam uma população mais ampla. No torneio de golfe U.S. Open de 2013, a hashtag "#usopen", como seria de se esperar, estava em alta no Twitter. Em vista disso, a KPMG Mickelson, a "conta oficial dos bonés de Phil Mickelson no Twitter", promoveu um tuíte para os seguidores da hashtag sugerindo que os fãs de golfe homenageassem os pais no Dia dos Pais comprando um boné azul de Phil Mickelson para fazer uma doação para uma campanha contra o analfabetismo. A KPMG Mickelson não chegou a usar a hashtag "#usopen" (na verdade, se eles não eram um patrocinador oficial do evento, podem ter sido impedidos pelo departamento jurídico) e, mesmo assim, por meio do patrocínio estratégico, conseguiu subir ao primeiro resultado para qualquer pessoa que clicasse na hashtag. A empresa também foi esperta na escolha da hashtag #DiadosPais.*

A KPMG Mickelson fez algo que muitas companhias deixam de fazer no Twitter: ouviu (leu, no caso). É dificílimo criar uma hashtag em alta para atrair as pessoas. É muito melhor prestar atenção ao *buzz*, descobrir o que está em alta e ir aonde o povo está. Nesse caso, os fãs do golfe já estavam falando sobre o torneio e o tuíte garantiu que a mensagem da KPMG Mickelson entrasse na conversa. Foi duplamente inteligente incluir o tuíte na hashtag do Dia dos Pais também.

Em alta nos Estados Unidos • **Alterar**
#IsIDLarryRealOrFake
#Yeezus
Dia dos Pais
#Irã
#usopen
#Homemdeferro
#Superman
MySpace
Kanye
Pai

Esse elogio vem com duas ressalvas:

---

* Note que o Twitter sugere que as pessoas interessadas nessa hashtag sigam o U.S. Open Tennis e não o U.S. Open Golf. Não sei se isso foi um resultado das ações de mídia social do U.S. Open Tennis, se a culpa foi da inação do U.S. Open Golf nessa seara ou ainda se foi só um bug do algoritmo do Twitter.

1. Incrivelmente, apesar de a KPMG Mickelson ter conseguido juntar duas conversas em alta, também incluiu, sem precisar, a hashtag "#PhilsBlueHat" no tuíte. Como você acha que foi o desempenho da hashtag que ela mesma inventou? Um total de três pessoas usou a hashtag nos três dias que se seguiram ao tuíte original da KPMG. Que vergonha...
2. O link do tuíte não levava os consumidores a fazer uma compra, mas ao site Phil's Blue Hat da KPMG, onde o consumidor precisa dar mais um clique para comprar o boné. Incluir etapas adicionais depois de um *call to action* é um desperdício do tempo do consumidor.

Não importa se você está aplicando um *jab* ou um gancho de direita, manobras de marketing como essa provam que está a par dos acontecimentos, que tem senso de humor e, acima de tudo, que está prestando atenção. Você se surpreenderia ao ver os resultados quando os clientes estão em busca de alguém com quem fazer negócios.

```
Resultados para #PhilsBlueHat

Tweets • Principais/Todos/Pessoas que você segue

Wade Copas @wadermcginnis                                      16h
Esse é o meu garoto! @MickelsonHat
#PhilsBlueHat #thisisphillyear
Expandir

Derek Foust @dfoust1                                          13 Jun
@itsDeBo @AdamDeBellis @KevZimm @Golatop
sem desculpas para o phil, 1º lugar #philsbluehat
Expandir

Sylvester Freckle @slytwink                                   13 Jun
#philsbluehat @MickelsonHat
Expandir

KPMG Mickelson @MickelsonHat                                  13 Jun
O #DiadosPais está chegando. Já escolheu seu presente? Vá
direto ao #PhilsBlueHat. Peça o seu em PhilsBlueHat.com
Expandir
```

ESCOLHA BEM AS HASHTAGS

Escolher hashtags requer habilidade. Você não pode tentar se adiantar a todas as possibilidades enchendo o post de hashtags. Elas só funcionarão se forem nativas ao Twitter e se combinarem com sua marca. Por exemplo, o Twitter é uma verdadeira incubadora de ironia, mas, se seu tom natural em geral for sério e ponderado, incluir hashtags irônicas ou começar a usar gírias de repente só vai parecer uma farsa. Ser descolado não tem nada a ver com idade, mas com a solidez de sua identidade. Não finja ser alguém que não é. Também é melhor não se levar muito a sério. Seja humano. Se não se sentir à vontade falando sobre a cultura pop, encontre alguém em sua organização ou faça uma parceria com uma agência familiarizada com essa linguagem. No entanto, não importa o que fizer, seja fiel a si mesmo. Não finja ser mais descolado do que é. Não seja o cara que só entra na onda depois que ela passou. É o que parece quando você usa hashtags e assuntos em alta como táticas de marketing indiscriminadas em vez de incorporar hashtags selecionadas à conversa. Ouça. Entretenha, pelo humor ou pela provocação.

Empreendedores e pequenas empresas percebem que dá muito trabalho não ficar para trás no Twitter e se perguntam se não deveriam desistir e voltar para casa. Não há como competir com as grandes empresas, com carteiras cheias para pagar um exército de funcionários. Eles precisam dormir um dia. Sim, criar microconteúdo em tempo real dá um trabalho insano. Sim, startups e microempresas terão de escolher muito bem as tendências nas quais vale a pena investir tempo e dinheiro. Mas fazer isso pode ajudar muito mais os resultados financeiros do que ficar sentado no sofá esperando os clientes aparecerem. E é muito melhor do que tuitar um conteúdo que ninguém vê ou pelo qual ninguém se interessa.

Se você for um profissional autônomo ou uma microempresa, pode sair na frente das companhias maiores em termos de agilidade e autenticidade, dois fatores fundamentais para um marketing eficaz no Twitter. Como ainda não deixou sua personalidade ser esmagada por um departamento jurídico ou de relações públicas, tem mais liberdade para dizer o que pensa, para procurar o lado divertido ou irônico em momentos inesperados e para brincar com a própria imagem. Esse último recurso costuma dar muito certo. Admiti em uma entrevista para a revista *Inc.* que fiz xixi na cama até os 12 anos. Você consegue imaginar alguém que lide com empresas da *Fortune 500* sendo tão irreverente? Eu também não. As pessoas adoram quando você reconhece seu lado humano e sua vulnerabilidade. Você pode ser um peso-pena lutando contra um peso-pesado, mas pode ser o peso-leve que acorda às 3 da manhã, bate alguns ovos crus para beber e faz duas horas de academia antes de o despertador do adversário tocar. As pessoas notarão seu empenho, e isso fará toda a diferença.

EXPANDINDO O INEXPANSÍVEL

Para ver um exemplo desse tipo de empenho, dê uma olhada na conversa que Levi Lentz teve com a Green Mountain Coffee Roasters (transparência total: a Green Mountain Coffee Roasters era cliente da VaynerMedia quando da publicação deste livro). A empresa se afastara muito da sua toca confortável no universo do café. Caso contrário, jamais teria visto o tuíte do Lentz. Tudo o que ele tuitou foi "'Say Hey' do Michael Franti é uma das minhas músicas favoritas".

Para sua surpresa, ele recebeu uma resposta da conta da Green Mountain Coffee no Twitter dizendo: "A gente também adora essa música! Não é uma grande inspiração?"

À primeira vista, é difícil ver qualquer relação entre café e a animada canção de amor que Lentz estava ouvindo. O *jab* da Green Mountain foi pura contextualização narrativa: nós somos uma marca que gosta da mesma música que você. Agora, o que o Lentz não sabia era que Michael Franti estava trabalhando em uma campanha de comércio justo com a Green Mountain Coffee, de modo que a empresa tinha mesmo uma razão para estar tão interessada em se engajar com o tuíte de Lentz. No entanto, o fato de ele não achar bizarro ser abordado por uma marca para falar de música revela como as pessoas estão receptivas a companhias dispostas a abrir um diálogo com os consumidores.

O café só foi mencionado na conversa quando Lentz tocou no assunto, educadamente dizendo à Green Mountain que ainda estava começando a aprender a gostar de café, de modo que ainda não tinha provado os produtos deles, mas que fazia questão de provar agora. A Green Mountain perguntou de que tipo de café ele gostava e deu algumas recomendações. A conversa terminou com a Green Mountain pedindo a Lentz para enviar em uma mensagem privada seu endereço de correspondência para que ela pudesse mandar um CD de Michel Franti, sem motivo específico.

Lentz sabia que se tratava de uma iniciativa de marketing, mas não se importou. Do nada, uma marca começou uma conversa interessante com ele, deu algumas informações que ele estava querendo e se ofereceu para lhe enviar um presente. E é claro que ele escreveu a respeito no seu blog. E voltou a escrever alguns dias depois, quando recebeu o CD pelo correio com outro pacote contendo uma caneca, uma amostra de café e um bilhete de agradecimento escrito à mão por escrever sobre a empresa em seu blog.

Ao ficar atenta às oportunidades de se apresentar, a Green Mountain Coffee recebeu uma publicidade gratuita e conquistou um cliente vitalício por ser agradável, encantadora, generosa e, acima de tudo, real, com um total desconhecido. Como qualquer bom casamenteiro sabe, quando duas pessoas relutam em se encontrar, às vezes você precisa dar um jeito de colocá-las na mesma sala para perceberem como são compatíveis. Para as empresas que aprendem a pegar notícias e informações flutuando pelo universo do Twitter e a partir delas criar histórias interessantes, essa plataforma de mídia social é o casamenteiro mais incansável que já existiu entre consumidores e marcas.

ERROS E ACERTOS
LACOSTE: INTERROMPENDO A PRÓPRIA CONVERSA

LACOSTE

LACOSTE USA ✓
@LACOSTE

Se você pudesse fazer uma coisa hoje, o que seria? (FAZER COMPRAS!) bit.ly/V9gJiz

← Responder ⇄ Retuitar ★ Curtir ••• Mais

2 Retuítes   1 Curtida

9:00 – 9 de março de 2013

A Lacoste é uma marca com uma capacidade de resistência enorme. Eu adorava os jacarés da Lacoste nas minhas camisas quando era moleque. Quando redescobri a marca, voltei a usá-la. Reinventar-se para os fãs não é pouca coisa, então meus parabéns à Lacoste pela façanha! Infelizmente, esse é o único elogio que ela ouvirá de mim, porque este é um dos piores exemplos de gancho de direita deste livro.

É tão ruim que chega a ser ridículo. Sei disso porque chorei de rir quando vi.

★ **Trata o consumidor como um idiota.** No texto, a Lacoste pergunta: "Se você pudesse fazer uma coisa hoje, o que seria?" É uma excelente maneira de convidar os fãs a se engajar. Em um universo paralelo, os fãs postariam respostas como "Dormir! "Andar de caiaque", "Ir de espaçonave para Marte", "Promover a paz mundial" e, provavelmente, "Fazer compras!", o que seria o momento ideal para a marca responder a esse consumidor e construir um relacionamento. Seria uma excelente oportunidade para a empresa exibir sua personalidade aos fãs, o que, por sua vez, contaria pontos na própria imagem da marca. Mas, neste universo, em que alguém da Lacoste não estava pensando direito, a marca interrompe a conversa antes mesmo de começar, respondendo à própria pergunta. É como se a Lacoste achasse que os fãs jamais dariam a resposta esperada. Lembre-se de que é "Dar, dar, dar, dar, dar... pedir" e não "Dar, dar, dar, dar, dar... exigir!

★ **Link sem sentido.** Como a Zara, na página 64, a Lacoste parece achar que seu site deveria ser o centro de todas as suas redes sociais. Se tem uma lição que as marcas devem tirar deste livro é que essa coisa de hub central não existe mais. Os consumidores chegarão de todo tipo de portal e ninguém quer a chateação de entrar sempre pela mesma porta. Quando os clientes clicam no link do Twitter, não são levados a uma oferta especial nem a uma promoção da coleção anterior. Vão diretamente ao site geral da empresa, que, naquela ocasião, apresentava a foto de um pré-adolescente inexpressivo.

A Lacoste tinha uns 370 mil seguidores no momento dessa postagem (são 960 mil em 2016), mas só dois retuitaram o post. O link em si só foi clicado por 88 pessoas. Não dá para ficar pior do que isso. Posts assim são responsáveis por todo o ruído sem sentido no Twitter que dificulta que o conteúdo espetacular seja notado. É melhor eu nem ficar fuçando muito porque, se vir esse tipo de tuíte de novo, posso querer abandonar a marca para sempre.

DUNKIN' DONUTS: BONITINHO MAS ULTRAPASSADO

Este foi um jab simpático, peso-pena, para vender café gelado. O texto é do tamanho certo, o tom está correto e a imagem é espirituosa. Mas sou obrigado a questionar por que o pessoal criativo da Dunkin' Donuts decidiu transformar o copo de café gelado em uma relíquia de meados do século passado.

★ **Imagem antiquada.** A empresa pareceria uma marca muito mais moderna se tivesse colocado um plugue de iPhone no copo de café e não uma tomada de dois pinos que poderia ser do abajur do criado-mudo de um vovô. Pode ser que a Dunkin' Donuts tenha usado essa tomada antiga de propósito para atingir o público mais velho que frequenta as lojas, mas, se for o caso, estaria falando a língua certa no país errado, porque o grupo demográfico que cresceu usando tomadas de dois pinos não é o público frequentador do Twitter (hoje em dia, como medida de segurança, usa-se o padrão de três pinos). Se "Quem é Paul McCartney?" era o assunto em alta no Twitter durante a entrega do Prêmio Grammy de 2012, é bem possível que metade do público que segue a Dunkin' Donuts não saiba o que é aquela coisa saindo do copo.

★ **Mais uma crítica.** O tuíte é assinado "JG". Sei que a Dunkin' Donuts está tentando mostrar o lado humano de sua marca, mas esse não é o melhor jeito de fazer isso. Você coloca sua empresa em risco quando deixa qualquer um exceto seu logotipo ou sua marca criar o valor da marca nessas plataformas públicas. O que acontece quando JG sair da Dunkin' Donuts e for trabalhar no Starbucks ou no McDonald's, e as pessoas começarem a perguntar: "Ei, cadê o JG?" Sua marca precisa de uma voz e uma frente unificadas. Isso não significa que você não valoriza ao empenho de seus funcionários, só quer dizer que precisa garantir que todos estejam trabalhando para desenvolver o valor de sua marca e não o valor individual deles.

ADIDAS: UM GOL DE PLACA

Este gancho de direita da Adidas Originals foi fantástico (é bem verdade que os sapatos são meio esquisitos, mas...). Eu adorei o estilo da marca neste post por algumas razões.

★ **Boa foto.** A empresa usou uma foto espetacular do produto, clean mas com um colorido vibrante. É o tipo de imagem que leva o consumidor que estiver rolando rapidamente pelo feed a parar para receber o gancho de direita.

★ **Tom correto.** O texto é robusto e reforça a história. A voz da marca está em sintonia com a do grupo demográfico almejado até no gancho de direita direto: "É por aqui, galera!" As marcas não raro elaboram o texto com o linguajar e o estilo certos, mas, quando chegam ao pedido, àquele gancho de direita, passam para o linguajar corporativo mais formal, do tipo "Você pode comprá-los aqui". Adorei o tom da Adidas ao dar seu gancho de direita com o "É por aqui, galera!" Ela foi direto ao ponto, postando um link para a página do produto e não para a inicial ou outra área secundária que teria obrigado o consumidor a fazer uma caça ao tesouro desnecessária, clicando a torto e a direito em busca do lugar certo.

A ideia é ser gentil e sutil quando estiver lançando seus jabs, mas, na hora de fazer o pedido, vá com tudo. Não se acanhe. Mergulhe de cabeça. Bom trabalho, Adidas! Muito, muito, muito bem executado.

HOLLISTER: UMA BOA ESTRATÉGIA QUE DEU ERRADO

Este é um estudo de caso interessantíssimo porque representa uma estratégia bastante inteligente e uma execução horrível tudo ao mesmo tempo agora.

★ **Criatividade admirável no marketing.** A Hollister merece os créditos por sacar o poder dos memes da internet para atingir o público jovem. Em resposta à enorme popularidade do planking – escolher um local aleatório e deitar de bruços no chão, com os braços ao lado do corpo – e seu irmão mais novo, o owling – escolher um local aleatório e se empoleirar como uma coruja –, a Hollister decidiu tentar criar o guarding – colocar as mãos na frente dos olhos como se fosse um salva-vidas segurando um binóculo. Ela foi direto ao gancho de direita pedindo à comunidade para marcar e se engajar com o novo meme. Foi uma manobra ousada e eu adorei! O problema é que é muito difícil para uma marca criar um meme. Não costuma ser algo prático e a tendência dos consumidores é não segui-lo. Em geral, marcas deveriam seguir memes, não criá-los. Mas a Hollister tentou, o que é admirável.

★ **Hashtag desajeitada.** A Hollister errou feio na escolha da hashtag. Quando vi este tuíte pela primeira vez, clicar em #guarding levava a conteúdos relacionados a guardas de segurança e à defesa em jogos de basquete. A Hollister não é a proprietária exclusiva do conceito de guarding, de modo que deveria ter escolhido uma hashtag mais marcante para chamar atenção para o meme.

★ **Imagem poluída.** A foto usada foi, no mínimo, infeliz. É colorida, mas pequena e confusa. O texto está apinhado na imagem, que já tem elementos demais tentando chamar a atenção. A história poderia ter sido contada de um jeito mais breve e simplificado, com apenas uma foto do rosto atraente de dois caras e a hashtag embaixo.

QUARTO ROUND

SURF TACOS: ALIMENTANDO NOVAS PLATAFORMAS

Este não é o melhor jab de todos os tempos, mas achei que seria uma boa ideia mostrar algumas manobras peso-pena que não prometem revolucionar o mundo das mídias sociais, mas que são exemplos simples que servem para não se sentir pressionado a criar uma obra-prima após a outra.

★ **Boa polinização cruzada.** A Surf Taco tinha no Twitter uma base respeitável de cerca de 6.400 seguidores, e mais uns 500 no Instagram. Ao compartilhar uma imagem do Instagram no Twitter, aproveitaram um pool muito maior de seguidores para aumentar o tamanho do pool menor. Essa é uma estratégia que mais gente deveria seguir, apesar de que compartilhar o Instagram no Twitter costumava ser mais eficaz antes que a concorrência entre as duas plataformas levasse o segundo a barrar a integração com o primeiro, de modo que o Instagram deixou de ser carregado no Twitter. Mas, quando você tenta atrair seguidores a uma nova plataforma, quer se trate do Pinterest, do Instagram, do Snapchat ou qualquer outra, é importante usá-la onde você tem o maior número de dados para direcionar o tráfego à novidade (três anos atrás, eu sugeria às pessoas que usassem o e-mail para direcionar o tráfego para o Facebook). Desviar dados de um lugar para outro é uma excelente manobra estratégica para aumentar o conhecimento da marca em uma nova plataforma.

★ **Estética apropriada.** Fica claro que a Surf Taco também está bastante familiarizada com a estética do Instagram. Não é um post muito artístico ou empolgante, mas pelo menos não foi usada uma foto genérica comprada em banco de imagens ou uma foto sofisticada do produto. É uma cena casual e natural de um lugar de verdade e, com base no engajamento que recebeu, apesar de a comunidade ser pequena, dá para notar que ela repercutiu entre os seguidores.

A empresa também sabiam o suficiente sobre os usuários do Twitter para incluir uma hashtag – uma boa hashtag –, embora tivesse sido interessante incluir uma ou duas mais amplas, como "#beisebol", para tentar ganhar ainda mais visibilidade. No total, não foi uma má jogada para uma pequena empresa de Nova Jersey.

CHUBBIES SHORTS: TUDO SE RESUME À VOZ

No fim das contas, o sucesso nas mídias sociais se resume a três fatores: conhecer as nuances da plataforma, ter voz própria e avançar no sentido dos objetivos de negócio. A Chubbies faz tudo isso neste post, um de meus microconteúdos favoritos deste livro.

O elemento mais eficaz do exemplo é a voz, que domina o conteúdo do começo ao fim. É uma voz jovem, irônica, irreverente e divertida, exatamente o que o público procura quando entra no Twitter. O tuíte em si mostra que a marca conhece bem as nuances da plataforma. O texto é curto e enxuto, contendo apenas duas hashtags e levando para um meme que oferece sugestões divertidas de coisas que seriam superiores – no caso um gato chamado Pablo Picatso – ao produto do concorrente, bermudas cargo. É uma comparação ridícula e engraçada. E por que esse meme deu certo, enquanto a Hollister não conseguiu muita repercussão com #guarding? A hashtag. Só a Chubbies, uma varejista de shorts e bermudas, teria qualquer razão para criar hashtags como #CargoEmbargo ou # CACF – Céu Aberto, Coxas De Fora) – de modo que as hashtags são exclusivamente deles. Elas são criativas o suficiente para que a empresa ganhe repercussão caso as pessoas decidam usá-las. A Chubbies também não pisou na bola ao incluir um link que leva à página do produto.

Você quer gerar ROI nas mídias sociais? Conte uma história boa a ponto de levar as pessoas a comprar. Minha equipe criativa e eu ficamos impressionados com o comprometimento dessa marca em cultivar uma voz forte e ficar de olho nas nuances da plataforma. O post reforçou a conscientização da marca, o que nos levou a falar sobre bermudas, o que nos deixou um pouco obcecados, o que me levou a comprar 11 bermudas, uma para cada membro da equipe. As coxas da equipe da VaynerMedia ficarão de fora ao estilo da Chubbies.

BULGARI US: UMA EMPRESA DE RP QUE TENTA... MAS NÃO CONSEGUE

Quando meus pais chegaram aos Estados Unidos no fim dos anos 1970, ficaram obcecados por Elizabeth Taylor. Na verdade, tenho quase certeza de que as duas primeiras palavras que minha avó disse em inglês foram "Elizabeth Taylor". Isso explica meu carinho pelo ícone e por que odeio quando a tratam com tanto descaso. Foi sem dúvida um evento grandioso, fundindo duas marcas de luxo e alta qualidade. Infelizmente, a Bulgari não se empenhou, na internet, em fazer uma homenagem à altura.

Tuitar eventos ao vivo pode ser antipático quando o único valor que os tuítes geram é para a empresa de RP. E é o que acontece nesse caso. A foto é tão fraca que poderia ter sido tirada por um estagiário escondido atrás de um vaso de plantas. Poderíamos ter escolhido criticar qualquer um dos 23 tuítes postados ao longo do dia, mas este merece atenção especial por ser especialmente horrível. É até difícil ver o que está acontecendo. Tente fazer isso: vire esta página e volte aqui. Você consegue saber do que se trata a cena em uma fração de segundo? Você precisa clicar no link e ver a foto em uma tela grande de computador e ainda encostar o nariz no monitor para conseguir enxergar os arranjos florais na mesa. Mas ninguém vai se dar a esse trabalho, e ninguém deveria, porque a imagem tem valor zero, para o consumidor ou para a marca.

A Bulgari tem o mérito de mencionar o serviço de bufê. Uma marca internacional como a Bulgari demonstra seu lado humano ao reconhecer em público uma pequena empresa que só tem 200 seguidores no Twitter.

NETFLIX: A SIMPLICIDADE QUE FUNCIONA

Este é um jab executado à perfeição, lançado poucos dias depois que a Netflix anunciou que 15 episódios da muito aguardada quarta temporada do seriado cult *Arrested Development* iriam ao ar com exclusividade em sua plataforma. O sucesso do post é explicado pelo fato de ela ter colocado tanta potência no que era uma publicação muito simples.

A imagem é uma referência clara ao último episódio da terceira temporada, quando um personagem sai da empresa familiar. E o texto é oportuno e inteligente. "Hey brother", uma frase falada com frequência no seriado, deu à Netflix o pretexto perfeito para surfar na onda da hashtag do Dia Nacional do Irmão. Por falar nisso, quase todos os dias do ano são algum dia nacional ou internacional não oficial de alguma coisa – use bem essa informação.

AMC: CHAMADAS PARA NADA

AMC Theatres ✓
@AMCTheatres

Retuíte se gostar do @TheRock! A gente fez um bate-papo com ele sobre o @GIJoeMovie! youtu.be/N_ePU5-wQos Compre seus ingressos! m.amcurl.com/obEz

← Responder ↻ Retuitar ★ Curtir ••• Mais

AMC Theatres
GI Joe: Retaliação
Nesta sequência, os GI Joes não só lutam contra Cobra, seu inimigo mortal, como também são forçados a enfrentar ameaças de dentro do governo que podem comprometer sua existência.
Ver na web

11 Retuítes 3 Curtidas

15:03 - 9 abril 2013   Marcar Mídia

Que tuíte esquizofrênico! "Retuíte se gostar do The Rock! NÃO! Veja o vídeo! NÃO! Compre os ingressos!" Em 140 caracteres, a AMC conseguiu fazer três *calls to action*. Não é tarefa fácil, mas também não há nada do que se orgulhar. Quando faz três *calls to action*, na prática não está fazendo nenhuma. Diante dessa bagunça de links e textos entrando na tela do celular, o cliente fica confuso. Não dá para decidir onde focar primeiro. A AMC costuma ser boa nas mídias sociais, mas, infelizmente, de um jeito bem parecido com os filmes do GI Joe, este post foi... uma droga (para não dizer palavra pior).

NBA: PARCERIA INTELIGENTE

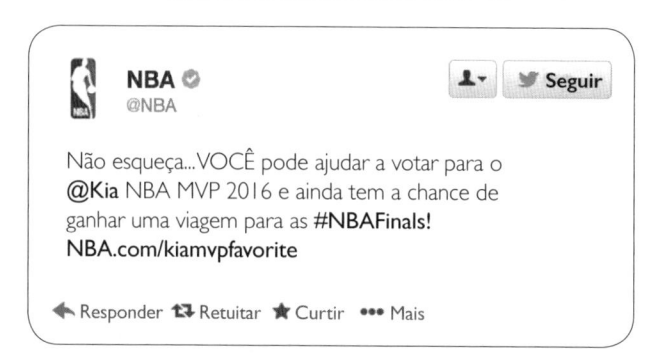

> **NBA** ✓
> @NBA
>
> Não esqueça...VOCÊ pode ajudar a votar para o @Kia NBA MVP 2016 e ainda tem a chance de ganhar uma viagem para as #NBAFinals!
> NBA.com/kiamvpfavorite
>
> ← Responder ↻ Retuitar ★ Curtir ••• Mais

A NBA desferiu um gancho de direita espetacular para reforçar a conscientização da marca firmando uma parceria com a Kia e seu prêmio MVP. Tudo neste post demonstra requinte, desde a decisão de manter o tuíte simples e claro até a opção de colocar a palavra "você" em letras maiúsculas para se conectar melhor com a comunidade. Ela reforçou a marca Kia, começando com a inclusão do nome de usuário da Kia no tuíte até a inclusão da página do prêmio na página do NBA.com – que começa com um artigo e uma foto anunciando LeBron James como vencedor do Kia MVP Awards – em negrito e vermelho com o logotipo. Não sei se a montadora pagou à NBA por esse post plenamente integrado de mídia social, mas, se pagou, posso dizer que foi um dinheiro bem gasto.

GOLF PIGEON: CONFUNDINDO QUANTIDADE COM QUALIDADE

Se você está começando ou se sua base de clientes é pequena e quiser surfar nas tendências para expandir seu alcance, uma estratégica para fazer isso é usar a plataforma de anúncios do Twitter e comprar uma palavra-chave que transformará seu tuíte no primeiro ou segundo resultado quando um consumidor procurar certo termo. Sempre ressalto, porém, que não é a quantidade de impressões que conta, mas a qualidade. Seu tuíte pode ser visto por 1 milhão de pessoas, mas, se a mensagem for ruim ou irrelevante, é bem possível que, de todas as pessoas que a viram, meio milhão passe a odiar seu produto ou sua marca. Quando esse tuíte foi postado, talvez Lionel Messi, o melhor jogador de futebol do mundo atualmente, tivesse marcado seu 7.000º gol espetacular e o nome dele estivesse em alta. A Golf Pigeon deve ter achado que, se os fãs de futebol estavam falando sobre Messi, também gostariam de falar sobre golfe. Espere aí, isso não faz nenhum sentido. Teoricamente, futebol e golfe até podem ter a ver às vezes. Eu acho... Quer dizer, é verdade que os dois são esportes. Uma explicação para esse alinhamento bizarro pode ser que às vezes o Twitter empurra Tweets Promovidos para hashtags relacionadas para obter um maior número de impressões. A Golf Pigeon pode nem ter escolhido se promover com a hashtag #messi e, se foi o caso, não tem culpa. Mas, se foi escolha da companhia, devo dizer que saiu perdendo com a decisão. Podia até ter sido uma jogada inteligente reforçar a conscientização da marca desse jeito nos idos da década de 1980, quando o número de canais para atingir os fãs de esportes era limitado. Mas, no mundo segmentado de hoje, não há razão alguma para desperdiçar a verba de marketing falando sobre golfe com uma comunidade de futebol. A empresa teria se beneficiado muito mais se esperasse o torneio Masters de golfe e usasse *trending topics* mais alinhados com sua marca e sua comunidade.

HOLIDAY INN: FALANDO SOZINHA

> **Holiday Inn** ✓
> @HolidayInn
>
> Incrível! Divirta-se! RT @ msdaisy66:
> @HolidayInn Pensacola Ocean Front é o melhor
> de Las Vegas! Mal posso esperar para voltar pela
> TERCEIRA vez!
>
> ← Responder ↻ Retuitar ★ Curtir ••• Mais

Tantas respostas do público, tão pouco valor. Retuitar autoelogios a toda sua base de consumidores só tem um nome – vangloriar-se. Fazer isso sem parar é no mínimo antipático. De 21 a 23 de abril de 2013, a Holiday Inn passou a maior parte do tempo retuitando elogios a todos os seus 30 mil seguidores, quando na verdade deveria ter passado cinco minutos aprofundando o relacionamento com os fãs que se deram ao trabalho de elogiá-los. A propósito, sempre que uma marca desse porte segue mais gente do que é seguida, isso é prova de que abusou de sua conta. É um sinal de que está tentando manipular o sistema, seguindo as pessoas na esperança de serem seguidos de volta. É uma tática barata.

A pobre Holiday Inn está sendo malhada neste livro, mas retuitar elogios dos fãs é um erro que milhares de marcas cometem todos os dias, provavelmente porque as empresas de RP adoram dizer aos clientes que é uma jogada inteligente. Eu digo que não é. Esse tipo de retuíte não tem valor algum para os seguidores. Pega muito mal, além de ser muito chato.

FIFA: NOTÍCIAS DE ÚLTIMA HORA

EA SPORTS FIFA ✓
@EASPORTSFIFA

Quem vai chegar às finais?
CONFIRMADO para as semifinais da Liga dos Campeões:
Bayern Munich × Barcelona
Borussia Dortmund × Real Madrid

← Responder ↩ Retuitar ★ Curtir ••• Mais

Como já disse, as empresas que querem competir nas mídias sociais precisam adotar uma dupla identidade. É claro que continuarão sendo fornecedoras de algum produto ou serviço, mas também têm de aprender a agir como organizações de mídia. O post acima ilustra exatamente como isso funciona. O FIFA da EA Sports é um videogame para amantes de futebol mas, com essa publicação, a marca mostra saber que, se quiser competir, precisa ser muito mais do que isso.

O tuíte é um anúncio de que os times que jogarão nas semifinais da Liga dos Campeões das UEFA acabaram de ser confirmados. Cinco ou seis anos atrás, os fãs de futebol ficariam sabendo da notícia quando ela aparecesse na parte inferior da tela do ESPN, e quem perdesse leria a respeito no dia seguinte no jornal. Mas, atualmente, um videogame pode anunciar a notícia, se não para o mundo, pelo menos para seus seguidores no Twitter. Como este jab ajudou a marca? O post teve mais de quinhentos retuítes. Qualquer pessoa que recebeu a notícia primeiro do FIFA a retuitou imediatamente a todos os seus seguidores. Todos esse pessoal atribuiu ao FIFA da EA Sports os créditos pela notícia. Além disso, a marca colheu os frutos na forma de belos níveis de engajamento, conscientização da marca, afinidade com ela e provavelmente dezenas, se não centenas, de novos seguidores... Tudo isso assumindo a dianteira da conversa nas mídias sociais. Esses novos seguidores representam muitas pessoas que podem estar abertas quando o FIFA da EA Sports lançar um gancho de direita em forma de oferta, cupom ou outro *call to action*.

TACO BELL: SACANDO A IDEIA

> **Taco Bell** ✓
> @TacoBell
>
> #PensamentosNaCama Taco Bell, preciso de você
>
> ← Responder ⇄ Retuitar ★ Curtir ••• Mais
>
> 12.661 3.554
> Retuítes Curtidas
>
> 20:47 - 25 março 2013

Este *jab* é um exemplo fantástico de empresa que sabe surfar nas tendências. Na ocasião, a hashtag #PensamentosNaCama estava em alta. A Taco Bell entrou em cena dando uma sugestão com sua voz tipicamente ferina, insolente e instigante. E isso claramente agradou muita gente, porque, com apenas 430 mil seguidores então, recebeu quase 13 mil retuítes. Por que o tuíte foi tão popular? Porque a Taco Bell fez exatamente o que deveria ter feito: respeitou a plataforma e entrou na conversa usando a mesma voz que seus consumidores. Sabe que o público do Twitter é jovem e, se você der uma olhada nos posts dela, verá que está o tempo todo se comunicando com seus seguidores, fazendo contato e desenvolvendo uma enorme afinidade da marca no processo. A empresa merece o maior elogio que posso oferecer: sacou a ideia.

SKITTLES: #ESTOUNOCEU

> **Skittles** ✓
> @Skittles
>
> Se quiser esconder alguma coisa, basta deixar do lado de um pacote de Skittles. Ninguém vai notar que está lá. **#dicadeprofissional**
>
> ← Responder ↻ Retuitar ★ Curtir ••• Mais

Muitos exemplos deste livro me deram vontade chorar, mas este me fez sorrir. E o mesmo vai acontecer com você. É uma mensagem bonitinha, engraçada, e tem toda a cara de alguém que gosta de Skittles. O mais esperto foi associar o microconteúdo a uma hashtag sempre em alta. É uma que nunca morre, com seu conteúdo irreverente e efervescente garantindo que permaneça sempre relevante para qualquer pessoa em busca de pouco de humor. Se a Skittles continuar tuitando microconteúdos como este, promete ter uma vida empolgante nas mídias sociais.

CHRIS GETHARD: TRABALHO DURO VALE A PENA

> **Jake Buffalo** @Jake_Buffalo — 19 Jun
> @ChrisGethard Devo ter gritado feito uma fã histérica quando vi isso.
> #TCGS instagram.com/p/awJ1U6tU4U/
> Detalhes
>
> **Chris Gethard** @ChrisGethard   [Seguir]
>
> @Jake_Buffalo Bem-vindo ao culto, garoto!
>
> ← Responder ⇄ Retuitar ★ Curtir ••• Mais
>
> 1 Curtidas
>
> 12:39 – 19 junho 2013

Os comediantes são um grupo demográfico interessante no Twitter, porque vários deles usam a plataforma para testar novas piadas, reforçar sua marca e promover seus negócios, pedindo às pessoas para comprar um DVD ou ir a uma apresentação. Este comediante nova-iorquino do Brooklyn, em ascensão, encontrou a fórmula certa. Ele conta piadas, é claro, mas também retuíta e se engaja com o público, respondendo e conversando com os fãs, mostrando que está prestando atenção e que valoriza o fato de eles se darem ao trabalho de expressar suas opiniões. Ele se empenha muito nisso, e o empenho promete resultar em grandes ganhos.

TWITTER: SEM NOÇÃO

> **Twitter** @twitter — 31 maio
> Agora ficou mais fácil (e mais divertido) do que nunca fazer o upload e atualizar seu perfil no Twitter, mensagem e fotos de capa: youtube.com/watch?v=ZkP8ri...
> ▶ Ver mídia

> **Twitter** @twitter — 31 maio
> A geografia dos tuítes: blog.twitter.com/2013/geography...
> Como bilhões de tuítes com marcação de localização ilustram o mundo.
> ▷ Ver resumo

> **Twitter** @twitter — 29 maio
> Novo! Novos recursos no iPhone e no Android para tuitar melhor: blog.twitter.com/2013/new-iphon...
> ▷ Ver resumo

> **Twitter** @twitter — 29 maio
> Mande uma foto em um tuíte em menos de seis segundos com a nova atualização do nosso app! vine.co/v/bY5dEjLxeJd
> ▶ Ver mídia

O Twitter ajudou muito minha carreira, de modo que é com peso no coração que devo criticá-los por sua impressionante falta de engajamento. Ele estão sempre tentando empurrar alguma coisa, postando um anúncio após o outro em causa própria, sem mover uma palha para expandir sua comunidade. Em 6 de junho de 2013, ele se gabava descaradamente, anunciando uma nova parceria com a WPP. O fato de a própria plataforma não ter ideia de como contar uma história em sua linguagem nativa prova que ainda estamos engatinhando na grandiosa linha do tempo das mídias sociais. O Twitter poderia passar o dia inteiro ouvindo as pessoas falarem. Quando comprou o Vine e milhões de pessoas começaram a tuitar freneticamente sobre o novo produto, o que custava se dar ao trabalho de agradecer de vez em quando? Como é que a equipe de marketing não se deu conta da importância de criar um vínculo emocional com seus usuários? Se a empresa tivesse se tocado, talvez parte das pessoas que migraram aos bandos para o Instagram quando este lançou seu compartilhamento de vídeos teria se mantido fiel ao Vine, em vez de lhe dar as costas sem olhar para trás. Este mundo é muito movido pelas emoções. Se o próprio Twitter não está ouvindo e se comunicando no Twitter, como pode esperar que alguém parta em defesa da plataforma? Tenho muitos amigos no Twitter e gostaria de saber a opinião deles quando lerem esta crítica. Tenho certeza de que terão muito a dizer.

SPHERO: CULTIVANDO O LADO NERD

> **Sphero** @gosphero
> TECLA CAPS LOCK – Impedindo o login desde 1980. #TechJokeTuesday #TJT
> ← Responder ⟲ Retuitar ★ Curtir ••• Mais

> **Sphero** @gosphero
> Até os gatos estão entrando na onda do Harry Potter. ow.ly/IVExR via @BuzzFeed #CapadaInvisibilidade #HarryPotter
> ← Responder ⟲ Retuitar ★ Curtir ••• Mais

Eu simplesmente adorei estes posts da Sphero. São exemplos perfeitos de marca que conhece seu público e sabe como contar sua história. Sabe exatamente quem compraria uma bola controlada por iPhone. E usou o vídeo de um link do BuzzFeed, o que mostra que fala a língua nativa de seu grupo demográfico. Saca o público, o meio, a língua, a história. Até uma pessoa que não pertence ao público-alvo acharia as mensagens legais.

Muitas startups têm dificuldade em contar boas histórias, porque, em vez de expandir a comunidade, concentram-se em angariar fundos ou obter um artigo elogioso na TechCrunch. É difícil para uma nova empresa encontrar o equilíbrio entre tantas prioridades simultâneas. A Sphero merece elogios por conseguir o que tantas outras empresas acabam desistindo de fazer. Realmente, é uma execução perfeita.

FLEURTY GIRL: FLERTANDO COM GENIALIDADE

> **Fleurty Girl**
> @FleurtyGirl
>
> Você vai ao Festival do Pêssego de Louisiana em Ruston? Mmmmm, adoro pêssego!
>
> ← Responder ⇄ Retuitar ★ Curtir ••• Mais

> **Fleurty Girl**
> @FleurtyGirl
>
> Qual é o melhor lugar de NOLA para ter a "melhor vista" da cidade?
>
> ← Responder ⇄ Retuitar ★ Curtir ••• Mais

> **Fleurty Girl**
> @FleurtyGirl
>
> RT @Saints: Feliz Aniversário
>
> ← Responder ⇄ Retuitar ★ Curtir ••• Mais

Muita gente que está lendo este livro tem uma microempresa com apenas uma loja. A Fleurty Girl tem cinco lojas, mas ainda é pequena, e o compromisso da proprietária com a comunidade de seu negócio, tanto na internet como nas lojas, é impressionante. Nascida e criada em Nova Orleans, Lauren Thom gosta de usar siglas como NOLA (Nova Orleans, Louisiana); está ligada no festival do pêssego em Ruston, também na Louisiana; retuitou uma mensagem de um jogador de futebol americano dos Saints, de Nova Orleans... enfim, ela fala a língua nativa. Provavelmente ainda não construiu uma base enorme, mas está dando duro para conquistar isso. Gostaria que mais empresas locais fossem capazes de investir a mesma energia nas mídias sociais. Ela sempre dá um jeito de incluir um pouco mais de tempero e sabor aos seus tuítes para aumentar o valor de compartilhamento. E inclui hashtags, por exemplo, para provocar emoções ou risadas. Quando tuitou: "Adoro pêssego", uma hashtag apropriada poderia ter sido #pessegosenchemabarriga. Você precisa fazer tudo o que estiver a seu alcance para levar as pessoas a sorrir e para sua marca ficar gravada na mente de seu consumidor. Em vez de desejar um feliz aniversário a Darren Sproles, ela poderia ter procurado saber a idade dele e feito a correspondência com um jogador do Saints que usou o mesmo número na temporada passada, para que o cumprimento se tornasse um pouco mais memorável, como "Feliz Ryan Steed!" Teria sido divertido. Mas tudo indica que ela vai chegar lá.

SHAKESPEARE'S PIZZA: DELICIOSO SABOR LOCAL

> **Shakespeare's Pizza**
> @ShakesPizza
>
> Achados e perdidos no fim de semana: 1 vaso, 1 tatuagem temporária, 4 bonés de beisebol, 2 copos descartáveis, 3 guarda-sóis e 1 cooler de cerveja.
>
> ← Responder ♺ Retuitar ★ Curtir ••• Mais

> **Shakespeare's Pizza**
> @ShakesPizza
>
> Parabéns, recém-formados! Não esqueçam de que pizza ficou em 1o lugar em comidas de comemoração pela pesquisa que acabamos de inventar!
>
> ← Responder ♺ Retuitar ★ Curtir ••• Mais

> **Shakespeare's Pizza**
> @ShakesPizza
>
> Se for comemorar o Dia da Terra hoje, não se esqueça de comprar uma pizza antes de voltar para casa. #ATerraÉRedonda #PizzaÉRedonda
>
> ← Responder ♺ Retuitar ★ Curtir ••• Mais

É com muita satisfação que elogio outra microempresa comprometida com um bom microconteúdo e que se deu ao trabalho de contratar um redator talentoso para criar seus textos. Preste atenção: o terceiro tuíte parece ser um simples comentário sobre o Dia da Terra, mas dê uma olhada na hashtag espirituosa. Isso mostra que a empresa conhece os usuários do Twitter e sabe que são esses pequenos momentos que arrancam um sorriso dos clientes e os levam a retuitar a mensagem aos amigos e a incluir sua marca nos feeds deles. A Shakespeare's Pizza poderia ter pago por um banner para ganhar visibilidade, mas ninguém teria dado bola.

O segundo tuíte também acerta na mosca. Qualquer pessoa entre 16 e 24 anos vai adorar a mensagem. Na verdade, qualquer um com o espírito de um jovem entre 16 e 24 anos... Vocês sabem quem são, não deixem de me dar um alô no Twitter. Os tuítes da Shakespeare's provam que uma combinação de texto criativo e profunda compreensão do que atrai as pessoas ao Twitter leva a marca a atingir bons índices na plataforma. E também me deixaram com fome. Só para constar, gosto de champignon.

PERGUNTAS QUE VOCÊ DEVE FAZER SOBRE SEU CONTEÚDO NO TWITTER:

O conteúdo é pertinente?

A hashtag é especial e memorável?

A imagem anexada é de alta qualidade?

A voz soa autêntica?

A mensagem vai repercutir junto ao público do Twitter?

QUINTO ROUND

DÊ UM TOQUE DE GLAMOUR NO PINTEREST

- Lançado em: março de 2010
- 100 milhões de usuários ativos.
- Cresceu 379.599% em 2012 e desde então mais do que duplicou seu número de usuários.
- Cresceu 135% em termos de uso fora dos Estados Unidos entre 2014 e 2015.
- 85% dos usuários do Pinterest são mulheres e 67% são millenials (a chamada geração Y).
- Em 2015, a porcentagem de utilização do app do Pinterest em smartphones foi de 75%. O usuário médio fica cerca de 15 minutos navegando na plataforma.
- 12% das pesquisas realizadas no Pinterest contêm erros de ortografia.
- As categorias mais acessadas são Comidas e Bebidas, Artesanato e Faça Você Mesmo, Decoração, e Festas, Feriados e Eventos.

A menos que venda um produto que nenhuma mulher no mundo gostaria de comprar (o que entraria em uma lista extremamente limitada de itens), ou que seu departamento jurídico torne tudo muito difícil*, você tem de colocar sua marca no Pinterest. E, mesmo que seu

---

* Eis mais uma vantagem de ter microempresa: não precisar dar bola para um departamento jurídico paranoico!

foco não seja o público adulto feminino, mais numeroso que os adultos do sexo masculino no Pinterest na proporção de três para um, é interessante ler este capítulo. Embora os detalhes específicos do modo como os *jabs* e ganchos de direita funcionam no Pinterest sejam exclusivos para a plataforma, ver como algumas empresas conseguem capitalizar as forças por trás da popularidade meteórica do Pinterest e como isso pode ajudar a estimular sua criatividade para criar novas estratégias que atinjam os consumidores em outras plataformas.

O Pinterest foi inventado para ajudar as pessoas a criar coleções inspiradoras na internet. A plataforma decolou de imediato como uma terra da fantasia para viciados em pornografia gastronômica, amantes da moda e pessoas em busca de ideias para reformar e decorar a casa. O alcance do Pinterest decolou, refletindo a miríade de interesses e hobbies dos mais de 100 milhões de usuários do site. Isso representa 16% dos usuários de internet nos Estados Unidos, apenas 1% a menos que o Twitter. No entanto, apesar da ascensão meteórica em popularidade, muitas marcas consolidadas demoraram para levar o Pinterest a sério. Chocante?

É claro que essas marcas tiveram suas razões. Provavelmente as empresas já estavam correndo para não ficar atrás no Facebook e no Twitter e não queriam investir em uma rede social que demanda ainda mais tempo – e que poderia se revelar só mais um modismo passageiro. É provável que parte da relutância se devesse à preocupação inicial com os riscos de violação de direitos autorais inerentes a um site que encoraja os usuários a compartilhar imagens que não lhes pertencem. Como de costume, o medo refreou as grandes empresas e deixou o território aberto para empreendedores e microempresas, menores, mais ousados e mais ágeis, dispostos a testar várias fórmulas de storytelling na nova plataforma. Só para lembrar, ninguém foi alvo de nenhum processo judicial. Em geral, o Pinterest é uma sociedade gigante de admiração mútua. Quem é que vai processar uma empresa por repinar uma foto do produto porque ele é legal, em especial quando o pin inclui um link que leva os consumidores diretamente à página de compra?

Agora que o Pinterest reviu seus termos de uso, lançou contas corporativas e planejou lançamentos de recursos úteis às empresas, um número maior de marcas se sente mais à vontade em inclui-lo em sua carteira de mídias sociais. Faça as promessas necessárias para sua equipe jurídica conseguir dormir à noite, mas não perca nem mais um minuto antes de criar uma conta no Pinterest para levar sua história aos milhões de pessoas que vasculham o site em busca de algo novo e inspirador.

PSICOLOGIA BÁSICA NO PINTEREST

O que está por trás de toda a popularidade do Pinterest? A plataforma faz bem o que propõe, permitindo colecionar pesquisas e ideias na internet em um único site, em quadros de avisos virtuais, chamados de "boards" ou "pastas", onde eles podem "pinar" – do inglês "*to pin*", que significa afixar com uma tachinha – imagens de tesouros da internet para guardar. Mas o Pinterest oferece muito mais do que isso. A plataforma tem o mesmo atrativo que leva adolescentes a decorar o guarda-roupa com fotos de suas bandas favoritas; funcionários de escritórios a dar um "*up*" em sua estação de trabalho com bonecos e fotos da viagem de moto pela Argentina; pessoas a expor objetos de arte no meio de uma janela que dá de frente para a rua ou motoristas a colar adesivos nos carros. Adoramos displays e símbolos que dizem ao mundo quem somos rápida e silenciosamente. Melhor ainda, amamos lembretes visuais de quem queremos ser. Nossa casa pode ser uma bagunça, nosso apetite pode estar fora de controle e, quando queremos ser profundos, podemos contar apenas com uma sabedoria de mesa de bar e biscoitos da sorte, mas na internet nossas coleções no Pinterest revelam que sonhamos em viver ao abrigo sereno de uma paisagem de revista e cobrindo nossa elegante silhueta com belas roupas ao mesmo tempo em que citamos sem esforço Henry David Thoreau e o Dalai Lama. A ambição e a aquisição são os dois dos maiores motivadores de compras e o Pinterest satisfaz ambas necessidades.

Dados comprovam que a plataforma se tornou o lugar onde as pessoas vão para realizar seus desejos materiais e emocionais. Um levantamento conduzido pela Steelhouse demonstra que os usuários do Pinterest são 79% mais propensos a comprar algo que virem na plataforma do que no Facebook. Ela gera uma receita quatro vezes maior por clique do que o Twitter. Algumas microempresas que começaram cedo seus experimentos no Pinterest chegaram a ter um aumento de 60% na receita.

Estatísticas como essas deveriam levá-lo a correr para clicar no botão vermelho "Cadastre-se no Pinterest" e configurar sua conta, se você ainda não tiver uma. Isso também vale para quem acha que o produto não é fotogênico ou que o serviço não pode ser traduzido em imagens ou é regional demais. Enquanto algumas plataformas podem de fato ser mais adequadas para certos tipos de marcas, o único limite para sua marca em qualquer uma delas é sua criatividade. O mais divertido e especial do Pinterest é que as pessoas podem seguir suas pastas, e não só você ou sua marca, o que significa que, mesmo que seu produto tenha algumas limitações inerentes no Pinterest, ainda é possível explorar aspectos dele que em outros formatos seria preferível ocultar para evitar confusões com a mensagem da marca. O Pinterest lhe dá a liberdade de dar asas à personalidade de sua marca.

PARA COMEÇAR, APRENDA A ARTE DE PINAR

O Pinterest é um colírio para os olhos, de modo que todos os pins devem ser visualmente atraentes. Pense nesse conteúdo como um item de colecionador. As imagens precisam convidar aos cliques, e imagens sem graça não fazem isso. Se ninguém clicar na imagem, nenhum usuário vai querer visitar sua página, conhecer sua história e entrar em seu mundo. Tenha isso em mente se estiver criando o próprio conteúdo ou repinando de pastas alheias.

Os usuários do Pinterest organizam seus achados na internet em categorias, ou pastas, e as empresas podem fazer o mesmo. É possível usar algumas pastas para criar vitrines virtuais, ajudando os usuários encontrar com rapidez e facilidade o que estão procurando, como se estivessem em uma loja física. Então, se você for dono da loja de chá do bairro, pode pinar imagens em pastas intituladas Chá Verde, Chá Preto, Chás da Índia, Chás da China e todos os outros tipos que quiser vender. Pode pinar imagens que incluam o preço, porque isso aumenta em 36% o número de curtidas que seu pin recebe, incrementando, assim, as suas chances de fechar uma venda. Todos os pins devem levar à origem, no caso seu site, de modo que com um único clique na imagem o usuário pode ser convertido em cliente. Simples assim.

No entanto, alguns consumidores começam a explorar o Pinterest indo diretamente à página de uma marca; em geral, chegam lá seguindo as imagens repinadas por outros usuários. Não há nada de empolgante em uma descrição como "Chá Verde" e só um amante de chá verde muito dedicado se motivará a repinar a imagem ou seguir a pasta. Se alguém repinar ou seguir, isso terá acontecido porque você pinou um *jab*, algo que chamou a atenção do consumidor e o impeliu a dar uma olhada em sua página.

Algo como um pin com a legenda "O chá para beber depois de uma briga com o namorado" ou "Chá para aguentar a sogra" ou "Chá para comemorar as férias de verão". Com esse tipo de recurso você cria o contexto, provando que entende a experiência de seus usuários e que sua marca tem um lugar na vida deles. Esse é o tipo de *jab* que motiva as pessoas a repinar nas pastas delas. Isso aumenta exponencialmente o número de indivíduos expostos à sua marca, o que, por sua vez, leva a um maior número de impressões e de cliques para descobrir a origem do conteúdo e por aí vai. Até que o usuário chegará ao seu site, onde você está perfeitamente posicionado para fechar a venda com um robusto gancho de direita.

JABS PARA CRIAR DESCOBERTAS FELIZES E INESPERADAS

Muitas marcas e empresas se concentram em pinar conteúdo original, mas, como no caso do Twitter, há um enorme valor em apresentar sua versão do conteúdo que outros postam na plataforma. Talvez isso não gere vendas diretas, mas oferece valor aos consumidores, de alguém em quem eles podem confiar, aumentando, assim, o incentivo para as pessoas procurarem você caso decidam que precisam de seu produto ou serviço. Por exemplo, uma loja de chá pode repinar uma foto de uma bela chaleira e um texto que diz: "Para fazer chá". E poderia adicionar: "É bonito de ver, mas tome cuidado. A menos que esteja cheia até a borda, você vai precisar virar a chaleira quase de cabeça para baixo para verter a água, o que deixa sua mão acima do vapor que sobe. Temos certeza de que a empresa está consertando essa falha de design neste exato momento". Você não está insultando o produto, só está comunicando um fato com base em sua experiência com chaleiras. Também é interessante tuitar esse tipo de repin que você remixou como se fosse um DJ. Naturalmente, qualquer tuíte teria o potencial de atrair seguidores do Twitter para sua página do Pinterest, mas, como costuma acontecer, sempre que você chama as pessoas para um debate e uma discussão ou introduz elementos de diversão e surpresa ao conteúdo, aumenta as chances de não apenas criar um vínculo, mas também de desenvolver um relacionamento que pode levar a uma venda.

Uma boa maneira de atrair seguidores é criar pastas apenas tangencialmente relacionadas a sua marca. Se todos os seus pins forem sobre chá, você só vai atingir um público específico interessado em chá. Mas, se criar uma pasta chamada "Onde descansar depois de uma xícara de chá" e pinar imagens de hotéis magníficos e outros lugares para se hospedar na Grã-Bretanha, Índia e Ásia, pode atingir outras categorias de consumidores, como turistas, casais em lua de mel e viajantes a negócios. E, se fizer isso com autenticidade, sem forçar a barra, pode até conseguir formar uma comunidade com pastas sem qualquer relação com sua marca. É nesse aspecto que o Pinterest dá às microempresas e aos empreendedores uma vantagem sobre as grandes organizações, porque seus departamentos jurídico e de relações públicas ainda não sufocaram sua personalidade. Você pode criar pins sobre sua cidade; sobre música, livros e filmes; sobre animais de estimação; sobre as causas que sua empresa apoia. É uma maneira fantástica de contar sua história integral e você não precisa dizer uma palavra sequer.

Se der *jabs* com esse tipo de detalhamento e criatividade, as pessoas terão muito mais chances de prestar atenção a seus ganchos de direita. Entre as listas práticas de chás verdes, pretos e brancos, e as mais sutis, como "Chás para beber depois de uma briga com o namorado" e "Chás para uma manhã de domingo", você também pode incluir um argumento de vendas mais agressivo: "Chás que recomendamos este mês". Se desferiu um número suficiente de *jabs*, ninguém achará ruim levar um ou outro gancho de direita ocasional. No mínimo, as pessoas ficarão gratas por você ter facilitado a tarefa de conhecer seu produto.

USE OS *JABS* PARA DESENVOLVER SUA COMUNIDADE

Os comentários são um recurso promissor do Pinterest e uma excelente maneira de fazer descobertas. Com tão poucas pessoas usando ativamente os comentários nessa plataforma para criar contexto e conscientização, é uma maneira fácil para as marcas se diferenciarem e serem notadas. Se você estiver no Twitter, já sabe como isso funciona.

Encontre oportunidades para dialogar com as pessoas cujos interesses estão alinhados com os seus. Mostre que se interessa de verdade pelos pins alheios e encontre maneiras de agregar contexto pelo diálogo. Ao se engajar com outros usuários do Pinterest, você lhes dá razões para clicar em seu nome e saber mais sobre você. Suas descrições também podem criar oportunidades para as pessoas comentarem. Um pin com um título provocativo como "Chá para beber depois de uma briga com o namorado" tem muitas chances de atrair alguém que pode fazer um comentário do tipo: "Espero não precisar disso hoje à noite" ou "Onde estava esse chá quando precisei dele na semana passada?" E lá está ela: a abertura perfeita para desenvolver um relacionamento, expandir sua comunidade e oferecer às pessoas algo de valor, mesmo que seja apenas uma maneira nova e divertida de reclamar sobre a dificuldade de encontrar um bom namorado.

Além disso, os comentários dão às marcas a chance de opinar sobre os pins alheios. Se o fabricante de chaleiras notar que um varejista de chá questionou o design de seu produto, deve responder imediatamente, seja explicando que o varejista não está usando chaleira direito, seja admitindo o erro e assegurando ao mundo que está tomando providências para corrigir o problema.

SIGA AS REGRAS

O Pinterest faz de tudo para encorajar as pessoas a seguir regras de bom comportamento no site, mas, se você parar para pensar, as regras dele não diferem muito das regras do mundo real. Se você for uma empresa, o básico é ser gentil. Mostre a seus clientes que se importa com eles. Exponha suas mercadorias de maneira atraente e sugestiva. Seja generoso com seu conhecimento. Diga sempre a verdade. Se não conseguir dar à pessoa o que ela procura, ajude-a a encontrar quem possa. Use todos os pontos de contato com o cliente para tecer histórias sobre quem você é e o que sua marca representa. Só depois de fazer isso lance o gancho de direita com toda a força.

ERROS E ACERTOS
WHOLE FOODS: ALIMENTANDO O SONHO

Mais da metade dos usuários da plataforma jamais farão o bolo de três camadas que eles repinaram, e um número ainda menor terá uma despensa parecida com a mostrada na pasta "Cozinhas Incríveis" da Whole Foods. Mas sonhar não custa nada, e a Whole Foods sabe disso. Na verdade, dá para dizer que a empresa também é uma espécie de fornecedora de sonhos. Poucas pessoas têm condições de fazer compras exclusivamente lá ou só se alimentam com uma dieta sancionada pela Whole Foods, mas a maioria de nós gostaria. Com este pin e muitos outros de sua página no Pinterest, a Whole Foods mostra que sabe que esse é o canal para alimentar as ambições e os anseios das pessoas de viver de acordo com os ideais que a empresa propõe. É por isso que, em sua página do Pinterest, ela não só posta imagens belíssimas dos alimentos que gostaríamos de preparar e comer, mas também inclui fotos dos lugares onde gostaríamos de fazer isso. Este microconteúdo é eficaz porque:

★ **Conteúdo de alta qualidade.** Corretores de imóveis e chefs não fotografam eles mesmos os imóveis ou a comida por uma razão: ninguém iria querê-los. Os fotógrafos profissionais sabem como trabalhar a luz e o espaço para exibir o melhor dos produtos. As imagens servem como inspiração para os fãs, que adoram se imaginar recriando as luxuosas casas e pratos que veem nos blogs e nas revistas. Não importa o fato de essa ambição ser quase impossível de realizar, já que em geral são a iluminação especial e outros

Whole Foods Market
Despensa super chique!

truques do fotógrafo que fazem o objeto fotografado parecer perfeito. Em muitos casos, os consumidores ambicionam comprar sua existência ideal, e não a real, em especial no mercado imobiliário e de alimentos. Com esta imagem repinada, a Whole Foods consegue cativar o público nos dois mundos. A imagem poderia ser publicada em destaque em uma revista de decoração e, de fato, para você ter uma ideia, ela foi feita pelo artista Evan Joseph, que, de acordo com seu site, é especializado em arquitetura e fotografia de interiores.

★ **Mensagem atraente.** Provando até que ponto um ambiente como este estaria fora do alcance da maioria das pessoas, esta despensa fica em uma mansão de pedra de 3 mil metros quadrados (apropriadamente batizada de Stone Mansion) na antiga propriedade da família Frick, em Nova Jersey. Mas, ao compartilhar a imagem na pasta "Cozinhas Incríveis", a Whole Foods está dizendo: "É assim que os nossos clientes merecem viver". E uma mensagem como essa é muito eficaz.

★ **Senso de comunidade.** Na verdade não foi a Whole Foods que criou esse conteúdo, repinado de um blog de estilo de vida e alimentação saudável chamado ingredients, inc. Repinar conteúdos de outros é uma ótima maneira de chamar a atenção de novos consumidores potenciais. É também uma forma de mostrar o lado humano de sua marca. Afinal, isso mostra que você está lendo os blogs e sites dos consumidores e que se interessa pelas mesmas coisas que eles.

★ **Alcance de longo prazo.** Embora a pasta "Cozinhas Incríveis" pertença à Whole Foods, ela está aberta a pelo menos cinco curadores, todos grandes influenciadores nas mídias sociais. Assim, a Whole Foods adota uma estratégia voltada para o futuro, concentrando-se em extrair os benefícios de longo prazo da colaboração e do boca-a-boca, e não apenas o ímpeto imediatista resultante de endossos isolados a marcas ou produtos.

JORDAN WINERY: QUALIDADE E BOM GOSTO

A Jordan Winery faz um bom trabalho beneficiando-se das funções especiais do Pinterest:

> Jordan Winery
> Dicas do nosso chef e enólogo sobre harmonização do Cabernet com queijos

★ **Foto inspiradora, com a cara do Pinterest.** Basta dar uma olhada na foto nítida, clara e de alta qualidade do vinho e dos queijos para se imaginar em um encontro romântico na praia ou em uma festa elegante. A foto indica que o vinho da Jordan é para pessoas de bom gosto, o que se alinha à perfeição com o público do Pinterest, que procura a plataforma em busca de inspiração. A foto não parece retirada de um banco de imagens genéricas. Na verdade, a revista Saveur poderia muito bem tê-la publicado.

★ **Bom título.** Embora a foto mire em pessoas sofisticadas, a Jordan Winery a pinou em uma pasta intitulada Fundamentos do Vinho. Em outras palavras, os produtos que eles vendem são para pessoas sofisticadas, mas a Jordan Winery mostra que não é uma loja de esnobes e que também atende iniciantes.

★ **Bom uso de links.** A imagem atua como porta de entrada para um conteúdo mais robusto. Clicar na foto leva o usuário diretamente a um artigo no site da empresa que explica os conceitos e as experimentações que fundamentam as harmonizações de vinho e queijo, bem como informações sobre como se inscrever para os passeios e degustações oferecidos pela vinícola.

Este microconteúdo aplica um bom *jab* tanto em amantes do vinho quanto em usuários de mídia social, e por isso a empresa merece aplausos.

CHOBANI: TOCANDO O CORAÇÃO DOS USUÁRIOS

Como já vimos, 85% do público do Pinterest é composto de mulheres, sendo que metade delas têm filhos. Com este *jab* direcionado a crianças, a Chobani demonstra que sabe como atingir o coração do público do Pinterest.

★ **A imagem.** Divertida, colorida, simples, foi escolhida para fazer os pais sorrirem e deve ter sido alvo de muitos repins.

★ **O texto.** Divertido, colorido, simples.

★ **A pasta.** Foi esperto dirigir-se às crianças e ainda mais esperto para a marca se posicionar como fonte de ideias de lanches criativos e saudáveis que farão as mães – e, provavelmente, os pais também – se sentirem super-heróis.

Antes de postar qualquer coisa nesta plataforma, pergunte-se se seu post passaria no teste do Pinterest: ele poderia passar por um anúncio ou uma foto de uma revista de primeira classe? Se não, é melhor não postar o conteúdo aí. Para este *jab*, contudo, a Chobani passa no teste com nota máxima.

ARBY'S: ENVIANDO A MENSAGEM ERRADA

Não dá para ser pior do que isto.

Arby's
Folhado de maçã da Arby's

★ **A foto.** A foto em si tem um corte tão bizarro que as bordas parecem dentadas, como se o doce tivesse fugido de um videogame antigo da Nintendo onde ameaçava eliminar o avatar do gamer com uma overdose de xarope de milho e gordura vegetal.

★ **O texto.** "Folhado de maçã da Arby's". Uau! Quanta criatividade.

★ **O link.** Fiquei surpreso ao ver que a equipe da Arby's soube criar um link na foto levando ao site da Arby's.

Tirando o fato de terem incluído no post no Pinterest o link correto para o site, este conteúdo foi um desperdício dos dois minutos que a equipe da Arby's levou para criá-lo. Parece que a empresa só tem uma conta no Pinterest porque alguém disse que deveria ter. Se houvesse um verdadeiro interesse no desenvolvimento de uma estratégia na plataforma, a Arby's teria se concentrado em melhorar a qualidade da foto e criar uma arte atraente para o público, que é em sua maioria feminino e que poderia encontrar essa pasta por acaso (porque ninguém em perfeito juízo compartilharia este conteúdo). Com um pingo de esforço, esse doce pálido poderia ter ficado com uma aparência mais apetitosa ou pelo menos parecer menos com algo que está acumulando poeira na vitrine de uma padaria de bairro desde 1985. Do jeito que está, a única mensagem que a Arby's conseguiu transmitir é: "Fique bem longe desse folhado de maçã".

RACHEL ZOE: PEQUENOS ERROS TÊM UM GRANDE IMPACTO

Rachel Zoe nos dá um exemplo de como pequenos detalhes podem impedir bons jabs e ganchos de direita de serem espetaculares.

★ **A foto.** Vemos uma bela bolsa e uma série de passos claros a seguir para entrar no concurso. É uma iniciativa criativa e agressiva ludificar os pins e pedir aos clientes que façam algo nas mídias sociais em troca da chance de ganhar um prêmio. O jogo parece autêntico na plataforma.

★ **Os links.** Ao clicar na foto da bolsa, você cai no site do varejista Neiman Marcus para comprar. Clique no link da legenda abaixo da foto e você é levado às regras da promoção. Alguém na Rachel Zoe botou a cabeça para pensar.

★ **O texto.** O tropeço está aqui. O texto apenas repete os três passos que acabamos de ler na foto. Por quê? Com esse erro, a Rachel Zoe enfraqueceu a proposta de valor de seu pin. Teria sido mais interessante para os clientes se a Zoe desse alguma informação sobre a bolsa e só então incluísse o link da página de regras.

Na verdade, o que falta neste pin e na pasta inteira onde ele foi postado é o mesmo elemento ausente em muitas páginas de celebridades no Pinterest: o lado humano. O nome e o rosto de Rachel Zoe vêm estampados no topo de todos os pins, de modo que seria bom ter a sensação de que o pin foi criado pela própria. Os erros deste pin são pequenos, mas fazem uma diferença tremenda.

Como participar

1 Repine esta imagem em uma pasta do Pinterest chamada "**Estilo de Férias da RZ**".

2 Mostre-me como você usaria minha bolsa metálica nas férias escolhendo sua roupa dos sonhos na internet e fazendo um pin da imagem!

3 Mande o link de sua pasta para **social@rachelzoe.com** – vou escolher meu preferido! Você pode ganhar as sandálias Valerie para usar nas férias!

Rachel Zoe
Envie um pin para ganhar a bolsa metálica da minha coleção mostrando como você a usaria nas férias, em uma pasta chamada "Estilo de Férias da RZ"! Envie por e-mail o link do seu post para social[arroba]rachelzoe[ponto]com para entrar no concurso! Preparar, apontar, pin! beijos, RZ. Regras da Promoção: **www.thezoereport.com**...

ABETHENNY FRANKEL: LINKS QUE NÃO LEVAM A LUGAR ALGUM

Bethenny Frankel, a fundadora da Skinnygirl, que produz margaritas e coquetéis em pó, é uma heroína de todas as mulheres que adoram exibir as pernas torneadas tanto quanto adoram beber. É uma pena que ela não tenha dado tanta atenção aos detalhes em suas pastas no Pinterest quanto a seus produtos.

★ **A foto.** É revigorante ver, vez ou outra, uma foto sem retoques no Pinterest, sobretudo na página de uma celebridade. Até dá para acreditar que foi a própria Bethenny quem tirou esta foto. Normalmente ninguém quer associar uma imagem desfocada com comida ou bebida, mas ela recebeu um grande engajamento, indicando que a abordagem do tipo "faça você mesmo" não desagradou muita gente. Por esse motivo, vou deixar passar.

Bethenny Frankel
Margarita de Romã Skinnygirl

★ **O texto.** "Margarita de Romã Skinnygirl." Não há muito mais a dizer, especialmente quando é provável que um clique na imagem leve o consumidor a uma receita ou a alguma outra página divertida do site da Skinnygirl. Ah, espere aí...

★ **O link.** Quando os consumidores clicam na foto da margarita de romã, eles acabam em uma página de erro 404, do tipo que diz "Página não encontrada". Que irresponsável! O pedido de desculpas da página de erro até que é engraçadinho, com a imagem de um cachorrinho dormindo, mas não compensa o fato de a empresa só ter desperdiçado o tempo e a boa vontade do cliente. Esse tipo de erro faz qualquer marca parecer amadora.

UNICEF: DISTRIBUIÇÃO, NÃO STORYTELLING

É animador saber que a Unicef é moderna o suficiente para estar no Pinterest. Infelizmente, parece que a entidade ainda estava se adaptando.

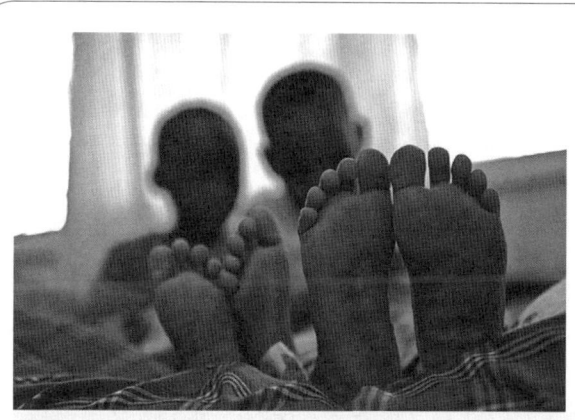

> **Unicef**
> CONSEGUE ME VER? – (à esquerda) Salome [O NOME FOI ALTERADO] tem o vírus do HIV. Ela tem 7 anos e mora com a irmã no orfanato Turkana Outreach no Quênia, administrado por Rugh Kuya, que também ficou órfã, aos 12 anos. A mãe de Salome contraiu o vírus do HIV quando era prostituta e morreu de causas relacionadas à Aids. O orfanato foi fundado em 1994 e hoje abriga 40 crianças, sendo que a maioria foi afetada de alguma forma pelo HIV/Aids; cinco das crianças são portadoras do vírus do HIV. © UNICEF/Shehzad Noorani Para saber mais: www.unicef.org/...

★ **A foto.** Este post ilustra um exemplo clássico de como as organizações utilizam de modo equivocado as plataformas de mídia social como centros de distribuição e não como lugar para contar histórias. Esta foto foi postada em duas pastas. Primeiro, numa intitulada "Consegue me ver?" e, depois, repinada em "Mídia Sem Fins Lucrativos". Ao repostar a mesma foto e copiá-la em várias pastas, a Unicef mostra que está apostando na quantidade e não na qualidade. Essa estratégia tolhe a eficácia potencial de todas as suas fotos no site. A Unicef se beneficiaria de uma curadoria de pastas que canalizasse os sentimentos dos consumidores em *calls to action* claros, em especial por ser uma marca munida de conteúdo com alta carga emocional. A foto teria obtido mais visualizações e mais engajamento se tivesse sido postada em uma pasta que atraísse diretamente pessoas interessadas em ajudar jovens vítimas e órfãos da Aids.

Se um dia passar a exibir sua incrível coleção de fotos no Pinterest com um cuidado sobre como contar boas histórias, a Unicef começará a ver uma atividade impressionante em relação a elas.

LAUREN CONRAD: FALANDO A LÍNGUA DO PINTEREST

O conteúdo de Lauren Conrad merece aplausos por falar pinterestês fluente. Tudo no post foi pensado para atrair o público feminino de alto poder aquisitivo que adora a plataforma. A imagem poderia muito bem ser um anúncio ou uma foto ilustrando um artigo sobre malhação e, de fato, se você clicar na imagem, é levado ao blog de Lauren, onde ela sugere um exercício para tornear as pernas para o verão. Com quase 2.500 repins, este pin mostra o que pode acontecer quando a marca de uma celebridade sabe falar a língua nativa de uma plataforma. Este *jab* reflete um claro respeito pela plataforma e um compromisso com o público. É o post certo no lugar certo.

Bethenny Frankel
Exercícios de Lauren Conrad para tornear as pernas {adicione um pin e pratique na academia!}

LULULEMON: NADA A VER

Mais uma vez, um erro sabotou um gancho de direita potencialmente nocauteador.

★ **A foto.** Infográficos resultam em altos níveis de engajamento no Pinterest e a ludificação que a Lululemon criou para a busca pelo tapete de ioga perfeito representa uma utilização criativa e inteligente da plataforma.

★ **O link.** Não há. Um clique na foto leva o usuário a outra versão da imagem. O Pinterest é o único lugar em que a inclusão de um link impulsiona o tráfego e leva à ação. Por que a Lululemon não incluiu o link de uma página de varejo mostrando a coleção de produtos descritos no post para ajudar os compradores a encontrar e comprar o tapete perfeito?

Que tristeza ver um belo conteúdo como este desperdiçado.

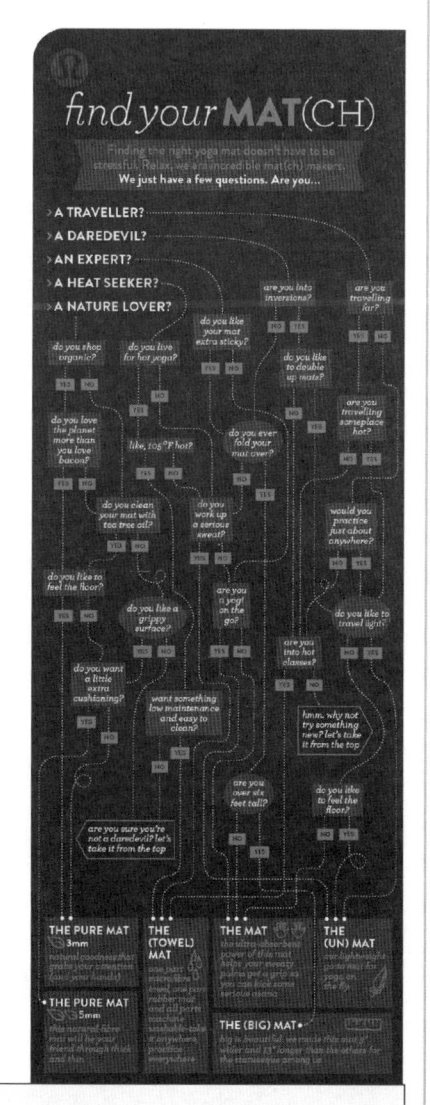

> **Lululemon athletica**
> Você ainda está em busca do seu tapete perfeito e não sabe por onde começar? Montamos um infográfico para você poder encontrá-lo Confira!

PERGUNTAS QUE VOCÊ DEVE FAZER SOBRE SEU CONTEÚDO NO PINTEREST:

A imagem alimenta os sonhos do consumidor?

Dei às minhas pastas títulos inteligentes e criativos?

Incluí um preço quando necessário?

Todas as fotos incluem um link?

Este pin poderia passar por um anúncio ou a foto de uma matéria em uma revista de primeira categoria?

Esta imagem foi bem categorizada para que as pessoas não precisem pensar muito sobre onde repiná-la em suas pastas?

SEXTO ROUND

SEJA UM ARTISTA NO INSTAGRAM

- Fundado em: outubro de 2010.
- O número de usuários ativos no Instagram gira em torno de 400 milhões por mês.
- 80 milhões de fotos são carregadas todos os dias.
- As hashtags mais comuns são #Love, #Instagood, #Me, #Cute, e #Follow.
- Adicionar localização aumenta a visualização do post em até 79%.
- Cerca de 50% dos comentários do Instagram surgem nas primeiras 6 horas após a postagem.
- A plataforma foi comprada pelo Facebook, por US$ 1 bilhão, em abril de 2012.
- Em junho de 2013, o Instagram lançou o compartilhamento de vídeos. Mais de 5 milhões de vídeos foram compartilhados nas primeiras 24 horas.

O Instagram é outra rede social centrada em imagens. Como o Pinterest, também tem o que gosto de chamar de "utilitário integrado", o que significa que a plataforma é muito boa no que se propõe a fazer, que é ajudar os usuários a tirar fotos melhores pelo celular. Ao mesmo tempo, porém, é um campo muito mais difícil para marcas e empresas. Ao contrário do Pinterest, onde o repinar é incentivado, aqui os usuários só podem compartilhar as próprias fotos. E, enquanto no Pinterest você pode incorporar um link à sua foto que, com um clique, direciona os usuários à página de seu produto ou serviço, o Instagram é um circuito fechado. Quem clicar em sua foto no Instagram é levado de volta ao Instagram. Uma jogada inteligente para a plataforma, mas não tão boa para as marcas e empresas interessadas em canalizar o tráfego a outro site na internet.

Dada as limitações do app como ferramenta de marketing, por que as marcas se dariam ao trabalho de postar fotos na plataforma? Pelas mesmas razões que podem publicar anúncios nas revistas *Fine Cooking*, *Vogue*, *People* ou até na *Traveler of Charleston*. Afinal, se tirarmos o conteúdo editorial entre um anúncio e outro, uma revista impressa é basicamente uma pequena galeria de imagens bonitas, provocativas ou tentadoras. Uma revista é, como o Instagram, uma plataforma de consumo. A rede proporciona uma experiência um pouco mais interativa do que uma revista impressa, porque os usuários podem curtir uma imagem e fazer comentários. Também tem um elemento de compartilhamento e distribuição que lhe permite se conectar com sua conta no Facebook e Twitter, aumentando a conscientização do produto por parte de seu público e promovendo o boca-a-boca. Além disso, os usuários podem seguir uns aos outros, mesmo que não possam compartilhar ("*regram*") formalmente. Mas, na verdade, quando você faz o upload de fotos no serviço, ninguém pode fazer qualquer coisa com o conteúdo, assim como quando você publica anúncios em revistas. E você posta imagens no Instagram pela mesma razão: para expandir seu público. Você anuncia em revistas porque sabe que pode atingir um público específico, mensurável pela quantidade e perfil de assinantes. O Instagram oferece uma escala incrível – 400 milhões no fim de 2015. Com um novo usuário entrando a cada segundo, a previsão é que entre 2016 e 2020 o Instagram atraia mais 27 milhões de usuários. Se vale a pena para sua marca pagar dezenas ou até centenas de milhares de dólares para publicar um belo conteúdo em revistas, não acha que vale a pena postar um conteúdo semelhante no Instagram de graça?

É essa escala a baixo custo que compensa o baixo valor social proporcionado pela plataforma. A rápida taxa de crescimento do app prova que as pessoas são cada vez mais atraídas ao conteúdo móvel baseado em imagens. Como sempre, as marcas e empresas têm de ir aonde seus consumidores estão. Pense no Instagram como uma das grandes plataformas de *jabs* para definir o tom, contar sua história, reforçar sua marca e aumentar sua visibilidade.

Não que seja impossível desferir ganchos de direita no Instagram.

Vale lembrar que a versão original do Twitter não incluía a opção de retuitar. Antes de o Twitter desenvolver a função, alguns pioneiros, inclusive alguns amigos e eu, compartilhavam os tuítes alheios copiando e colando-os nos próprios feeds. As pessoas estão fazendo screenshots de fotos de que gostam no Instagram e os repostando ou usando novos apps para o mesmo fim. Sempre existe uma solução alternativa se você quiser. Não é possível incorporar um link à sua imagem, mas nada o impede de incluir um URL na descrição. As pessoas não são idiotas, elas saberão o que fazer. Você até poderia dizer a elas para entrar no link e usar o código "Instagram" para ganhar 10% de desconto em seu produto ou serviço (embora, como já dissemos, esse tipo de *call to action* não eleve seu índice na plataforma, nem feche tantas vendas quanto se fosse apresentado em um link incorporado ao post). Será que você deve fazer isso com frequência? Não, porque incluir muitos *calls to action* dará a impressão de spam. Mas, de vez em quando, entre um *jab* e outro, um gancho de direita é perfeitamente aceitável. Na verdade, se você der um número muito maior de *jabs*, seu gancho de direita pode até ser uma surpresa divertida. Mas só por algum tempo, porque, como sabemos, os profissionais de marketing estragam tudo.

ALGUMAS DICAS PARA CRIAR UM BOM CONTEÚDO NO INSTAGRAM

1. Fale a língua do Instagram. As pessoas gostam dessa plataforma devido à qualidade do conteúdo disponibilizado. Ninguém procura o Instagram para ver anúncios e fotos de bancos de imagens. O conteúdo nativo do Instagram é artístico, não comercial. Use seu conteúdo para expressar quem você é, não para tentar empurrar algum produto ou serviço.
2. Dirija-se à geração do Instagram. Aprenda a fazê-lo trabalhar para você... Ele será sua porta de entrada para a próxima geração de usuários sociais. Os jovens estarão no Instagram (na verdade, já estão) e os pais deles ainda estarão no Facebook. Eu já acreditava em 2011 que o Facebook compraria o Instagram. E foi o que aconteceu na primavera de 2012, por US$ 1 bilhão em dinheiro e ações. Justifiquei a compra no *Piers Morgan* no dia seguinte, explicando que bastava dar uma olhada na evolução do conteúdo do Flickr para o Myspace, o Facebook, o Tumblr e o Pinterest para ficar claro que as imagens eram cada vez mais importantes e que dominariam o mundo das

mídias sociais.* Quando o Instagram começou a ganhar um enorme impulso em 2011, o Facebook não pôde deixar de reconhecer o fato. Apesar de tudo o que o Facebook tinha – feed de notícias, páginas, anúncios –, este serviço desenvolvido para o celular baseado em imagens representava uma ameaça concreta para uma empresa que queria ser o melhor serviço de compartilhamento de fotos do planeta. Na verdade, o Instagram foi a única ameaça que o Facebook já enfrentou. O Facebook tinha de comprá-lo. Eu disse que achava que o US$ 1 bilhão que o Facebook pagou foi uma pechincha e fui ridicularizado. Mas vai entender... Ninguém está rindo agora.

3. Não se reprima com as suas hashtags. Elas são importantes nesta plataforma, talvez até mais do que no Twitter. No Twitter, a hashtag às vezes pode ser só uma decoração do bolo, uma pitada de ironia, um punhado de humor que você usa uma vez, talvez duas vezes por dia. No Instagram, as hashtags são o bolo inteiro. Você só não pode abusar. Incluir cinco, seis ou até dez hashtags na sequência em um só post não é um jeito ruim de se comunicar.

E, se você não quiser uma montoeira de hashtags entupindo o texto de seu post, tudo bem. Inclua suas hashtags em um comentário sobre sua própria foto e o resultado será o mesmo. Um clique em uma hashtag leva o usuário a uma página inteira de outras imagens com a mesma hashtag. Não há maneira melhor de conquistar mais visibilidade e seguidores. As hashtags são as portas de entrada pelas quais as pessoas que vão descobrir sua marca; sem elas, você estará condenado à invisibilidade.

4. Torne-se digno de ser explorado. O conteúdo mais deslumbrante e evocativo do Instagram é publicado na guia Explorar, que expõe seu conteúdo a todos os usuários, não apenas aos que optaram por seguir você. O Instagram jura que o número de curtidas recebido por esse conteúdo não é o único fator decisivo para incluí-lo na guia Explorar, mas sem dúvida ele é importante. É uma maneira fenomenal de aumentar a visibilidade. A maioria das microempresas e até marcas da *Fortune 500* provavelmente jamais conseguirá entrar nesse clube exclusivo, mas quaisquer celebridades que estiverem lendo este livro devem atentar para essa enorme oportunidade.

---

* Para assistir ao clipe no Piers Morgan, veja bit.ly/JJJRHPiersMorgan.

ERROS E ACERTOS
BEN & JERRY'S: ESPALHANDO O AMOR

benandjerrys — 16sem
Paz, Amor, Sorvete. #fotodesexta via @ebbawallden

O microconteúdo da Ben & Jerry's tem o sabor perfeito para o Instagram: enxuto e doce. O produto tem tanto impacto visual que eles nem precisaram incluir os logos que costumam ser parte essencial de um bom *jab* no Instagram.

É sempre muito bom quando uma grande marca dá destaque a um de seus fãs. A imagem foi disponibilizada por uma sueca – ela achou por bem postar uma foto de seu lanchinho. Na interação, a Ben & Jerry's entra em contato com ela para parabenizá-la pela foto e pede permissão para repostá-la em sua conta em Instagram.com/ebbawallden. Daria para a Ben & Jerry's melhorar ainda mais esse post? Daria. Ela podia ter incluído uma piscadela virtual, alinhando a tigela com o coração que aparece quando um fã curte o post.

GAP: SACANDO POR QUE AS MÍDIAS SÃO "SOCIAIS"

> **gap**   34sem
> Feliz Dia das Bruxas! **@Snackbpc**, obrigado pela abóbora épica.

Veja o que acontece quando você faz um favor a um amigo. Ele trabalha na GAP e pergunta se você poderia usar seu incrível talento de escultor de abóboras para entalhar o logotipo da GAP em uma. Você topa e posta uma foto de sua obra no Instagram. Uma semana depois, você se lembra de adicionar as tags apropriadas: #abobora, #gap, #logo. E, para sua surpresa, recebe uma mensagem da GAP perguntando você deixa compartilhar a foto no feed deles no Instagram.

Com esse conteúdo, a GAP mostra que realmente saca o lado "social" das mídias sociais e sabe reconhecer um conteúdo nativo à plataforma do Instagram. O conteúdo temático de Dia das Bruxas em geral recebe altos níveis de engajamento, e a GAP teria sido louca se deixasse passar essa oportunidade de ouro para lançar um *jab* em seus fãs e se engajar com o usuário que se deu ao trabalho de promover a marca.

GANSEVOORT HOTEL: CONTANDO UMA HISTÓRIA DE AMOR

gansevoort | 14sem
As Ilhas Turcas e Caicos apostam que você #adorapraia.

Esta é uma foto artística e inteligente e foi uma jogada incrível. É o tipo de imagem que toca o coração e evoca emoções instantâneas em qualquer pessoa que a vê passando pelo feed do Instagram. O brilhantismo está na capacidade de contar a história na linguagem nativa da plataforma. Se você tocar duas vezes na foto, o coração de curtir aparece quase no mesmo local do coração da praia. A imagem deve ter sido editada de modo a possibilitar isso. Com sua hashtag inteligente, essa narrativa divertida é o tipo de coisa que as pessoas compartilham.

LEVI'S: CEGA PARA AS POSSIBILIDADES

levis   29sem
Desejando a você e aos seus amigos e familiares um Natal brilhante e festivo.

Se o objetivo fosse cegar permanentemente os seguidores da Levi's no Instagram, este post poderia ser considerado um gancho de direita espetacular. Caso contrário, é muito difícil dizer o que a Levi's tentou fazer. Deveria ser um post natalino criativo, aproveitando o fato de que o tema faz os índices decolarem devido aos sentimentos que evocam, como maravilhamento, nostalgia e expectativa. No entanto, o conteúdo não gera qualquer emoção, não conta uma história, não engaja os fãs e não faz nada para reforçar a marca. Se a Levi's fosse uma empresa de lâmpadas ou de eletricidade, o post faria algum sentido, mas o que ele tem a ver com uma marca de jeans? Parece que alguém deu de cara com essa foto em um banco de imagens e fez o possível e o impossível para encaixá-la no espírito natalino. Foi uma decepção surpreendente vinda de uma empresa que em geral faz muito para reforçar sua marca.

OAKLEY: FAZENDO O SACRIFÍCIO ERRADO

Uma visita ao perfil da Oakley no Instagram revela uma coletânea de fotos elegantes exibindo suas linhas de óculos de sol e acessórios esportivos. Mas alguém deixou a peteca cair quando postou este lixo. E é uma pena, porque a oportunidade de storytelling era fenomenal.

A Oakley firmou uma parceria com o campeão do torneio Masters de golfe de 2012, Bubba Watson, para criar o primeiro carrinho de golfe hovercraft do mundo. É uma máquina incrível, capaz de flutuar com facilidade sobre obstáculos de água e até cruzar os bancos de areia sem deixar uma marca sequer, graças a um sistema de pressão extraordinariamente leve. O vídeo criado para demonstrar a invenção, intitulado "Hover do Bubba", foi visto mais de 3 milhões de vezes e recebeu uma avalanche de atenção da mídia. A Oakley queria divulgar a novidade aos fãs do Instagram, já que o torneio Masters 2013 se aproximava.

Estou supondo – não tenho como saber – que a Oakley pensava em mensurar o sucesso deste post com base no número de visualizações do vídeo. E foi por isso que saiu perdendo. Não é possível incluir um link para fora do Instagram e muito poucas pessoas se dariam ao trabalho de copiar e colar um link no navegador. A Oakley não respeitou a faixa etária e a criatividade do público da plataforma, talvez por estar mais preocupada em obter visualizações de vídeo do que em elaborar um conteúdo espetacular. Poderia ter contado a história na linguagem nativa dela, encomendando uma bela imagem do hovercraft, talvez feita a partir de um ângulo incomum, ou postando um enigma fotográfico criativo para instigar a curiosidade dos usuários e levá-los à página da empresa na internetinternet, onde encontrariam o vídeo. Em vez disso, postou um print screen medíocre dele e até recebeu algumas curtidas, mas a execução insossa sem dúvida deixou muito engajamento a desejar.

THE MEATBALL SHOP: CONTORNANDO OS PONTOS FRACOS DO INSTAGRAM COM FORTES CALLS TO ACTION

Feliz #DiaNacionaldoComedordeAlmôndega. Marque seu "momento almôndega" na TMS com a hashtag #DiaNacionaldoComedordeAlmôndega e @meatballers. Os 3 momentos mais criativos ganharão a edição limitada preta e dourada do nosso boné Grinder Hat!

É mais difícil desferir ganchos de direita no Instagram devido à impossibilidade de incluir links para fora da plataforma, mas dá para fazer. O truque é incluir um storytelling provocativo o suficiente em seu texto para levar as pessoas a responderem ao *call to action*. A The Meatball Shop sacou isso e fez acontecer.

Veja como:

★ Comece com uma boa ideia para um negócio: almôndegas gourmet.
★ Fique famoso por suas almôndegas gourmet.
★ Beneficie-se de um feriado maluco porém real: o Dia Nacional dos Comedores de Almôndega, nos Estados Unidos.
★ Poste uma imagem com a cara do Instagram.

Inclua uma hashtag e ludifique seu conteúdo convidando os seguidores a enviar fotos de seus momentos favoritos com almôndegas em troca da chance de aparecer nos feeds do restaurante no Instagram e no Twitter e ganhar um boné da Meatball Shop.

Veja cerca de 1% de seus seguidores se engajar, o que é bastante para uma pequena empresa com uma pequena base de fãs.

Receba, em um livro, elogios por um gancho de direita extremamente bem executado no Instagram, o que vai levar muitas pessoas a ficar sabendo da loja... e ter vontade de comer almôndega.

BONOBOS: UMA POLINIZAÇÃO CRUZADA INTELIGENTE

> **bonobos** — 11sem
> Siga a gente no Vine hoje à noite para ter uma prévia com a imprensa #Fit4Fall

A Bonobos começou como uma marca de moda vendida exclusivamente na internet e, com suas raízes bem plantadas em solo digital, não é surpresa que demonstre uma tremenda experiência quando se trata de explorar as possibilidades inerentes a novas plataformas. A polinização cruzada entre elas é uma excelente maneira de reforçar a conscientização da marca em toda parte, e a Bonobos consegue lançar um belo gancho de direita convidando os seguidores a ter uma prévia de sua linha outono-inverno no Vine. Note a utilização adequada e a familiaridade com a cultura das hashtags. Note o branding sutil com a inclusão do logotipo do Vine no canto inferior direito. Note o jeitão clean e artístico da foto.

Ao dar atenção a todos os detalhes, a Bonobos não só desferiu um gancho de direita brilhante como também cultivou sua imagem de empresa moderna, criativa e inovadora.

SEAWORLD: QUANTO DESLEIXO...

A imagem mostra um recorte do pôster que anuncia o evento, com um fundo amarelo e vários textos aplicados. Mas é impossível perceber que se trata do cartaz criado para a ocasião. A legenda diz: "Quem está a fim de show, cerveja e churrasco?"

Às vezes, quando se é bom, todo mundo nota quando você sai da linha. O SeaWorld em geral oferece um conteúdo envolvente e contundente no Instagram, mas não desta vez. Você pensaria que um parque temático teria interesse em apresentar um evento imperdível, mas, se este post for algum indício, parece que os clientes conseguirão o mesmo nível de entretenimento de um show com uma banda amadora. A imagem está desfocada, as datas do pôster saíram cortadas... Onde é que o SeaWorld estava com a cabeça? Já é ruim lançar um *jab* desleixado, mas é ainda pior lançar um gancho de direita meia-boca, e este post não passa disso.

Um dos piores que já vi.

GUTHRIE GREEN PARK: MOSTRANDO QUE TEM UM LADO HUMANO

> **guthriegreen**   2sem
> Foto incrível do parque #guthriegreen tirada por @h_kell #regram #CentrodeTulsa

Pense no parque do seu bairro. Dá para imaginá-lo se tornando uma presença dominante em um site de mídia social? Pouco provável, não é? No entanto, eis um parque que está reforçando o valor de sua marca dando *jabs* em sua conta do Instagram. Ao fazer o regram de fotos tiradas em Tulsa, Oklahoma, por moradores e visitantes, o Guthrie Green está agindo como uma pessoa de verdade, tornando-se parte da comunidade e aumentando a influência de seus posts. É uma marca nascida nas mídias sociais, o que lhe dá a capacidade de ter uma vida social. Eu adoro mostrar uma instituição que realmente sacou o espírito da coisa e, mais ainda, amo ter um vislumbre do futuro. Em breve esse parque deixará de ser uma exceção. Todas as startups, empresas e celebridades serão, no futuro, criaturas nativas das mídias sociais.

COMEDY CENTRAL: UNINDO A COMUNIDADE

comedycentral
#shelfie

16sem

É um *shelfie*. Sacou? Uma combinação de selfie com *shelf* (prateleira, em inglês). Hilário.

Já malhei outras marcas por causa de fotos de baixa qualidade e esta está longe de ser espetacular, mas o conteúdo como um todo é tão bom que resolvi deixar passar. Embora a qualidade da foto seja inferior, o post é superautêntico... Não tem nada aí que pareça seguir um roteiro predeterminado. O usuário sai achando que o Comedy Central está compartilhando um segredo só com ele, um segredo hilário e espontâneo. O que eleva a qualidade do post é a única hashtag, "#shelfie", que brinca com a mãe de todas as hashtags do Instagram, #selfie. O trocadilho é engraçado, inteligente, o tom de voz acertou na mosca e a ideia reforça a marca. É o tipo de conteúdo que acaba sendo compartilhado, e muito. O Comedy Central entendeu de verdade o poder do Instagram. Não importa o que estiver acontecendo no mundo, o canal consegue usar a plataforma para criar buzz e reunir sua comunidade para rir junto. Isso não tem preço. É o tipo de mágica que se torna possível quando uma marca realmente saca uma plataforma de mídia social.

PERGUNTAS QUE VOCÊ DEVE FAZER SOBRE SEU CONTEÚDO NO INSTAGRAM:

A imagem é artística e indie o suficiente para o público do Instagram?

Incluí boas hashtags descritivas?

Minhas histórias são interessantes para a geração mais jovem?

SÉTIMO ROUND

ANIME-SE NO TUMBLR

- Lançado em: fevereiro de 2007
- 304,2 milhões de blogs ativos.
- 44,4 milhões de novos posts todos os dias.
- O blog do Tumblr nasceu no WordPress e só passou para o Tumblr em maio de 2008.
- Para cada novo recurso introduzido pelo Tumblr, um antigo é removido.
- A plataforma (pronuncia-se tâmbler) foi comprada pelo Yahoo!, por US$ 1,1 bilhão, em maio de 2013.

O Tumblr não é para qualquer um. É uma plataforma jovem, voltada em grande parte para pessoas de 18 a 34 anos, com uma leve inclinação às mulheres. Além disso, é um ambiente extremamente artístico, proporcionando um espaço de exposição para fotógrafos, músicos e designers gráficos. Se o Twitter é hip-hop, o Tumblr é indie rock. Embora o Tumblr não tenha a escala do Pinterest ou do Instagram, sua marca e sua empresa deveriam marcar presença lá.

Tenho um fraco por essa plataforma e cheguei a investir nela em 2009. Virei um grande fã no início da minha carreira, por ser tão fácil de usar e porque seu formato minimalista convidava a posts com menos texto e uma orientação mais visual. Na verdade, o jovem fundador do Tumblr, David Karp, de 26 anos, o criou porque queria blogar mas achava que a "grande caixa de texto vazia" das plataformas tradicionais era assustadora demais. Eu tenho o mesmo problema que ele: tinha toneladas de ideias para compartilhar, mas odiava escrever.6 O formato *Obstsalat* ("salada de frutas" em alemão) tornou-se perfeito para os bits aleatórios e fragmentos de conteúdo que começaram a ser lançados de um lado a outro à medida que os usuários exploravam o site.

A maioria das pessoas ainda acha que o Tumblr não passa de uma plataforma de blog, mas, nos poucos anos desde seu lançamento em 2007, tornou-se muito mais do que isso. Em janeiro de 2012, estreou um painel de controle novo e mais enxuto, sugerindo uma tentativa de se aproximar do Twitter e aceitar sua evolução como um site já crescidinho de mídia social. E, em uma entrevista para a *Forbes* naquele mesmo mês, Karp se refere ao Tumblr como uma "rede de mídia". Então, o que é o Tumblr exatamente? É tudo isso, mas, para tirar o máximo proveito dele, as marcas devem encará-lo como um espaço sem igual de exposição de microconteúdo que possibilita reforçar a marca, e um ringue de treinamento espetacular.

POR QUE O TUMBLR É UMA PLATAFORMA PARA REFORÇAR A MARCA

O Tumblr é imbatível como plataforma de branding. Ao selecionar uma imagem de fundo para sua página inicial, você pode escolher entre uma série de "temas" criados especialmente para ele. Se quiser, pode ajustá-los de acordo com suas preferências. Mas também pode criar um visual personalizado, que reflite sua marca à perfeição e que continue a contar sua história por meio do conteúdo. Cor, formato, fonte, posicionamento do logo, arte... o único limite é sua criatividade. Ao contrário do Facebook, no qual você fica preso à "cara" da plataforma, ou até do Twitter, onde, apesar de algumas opções de customização da página de perfil os usuários têm de ver um borrão sem fim de texto, o Tumblr oferece o mais completo controle artístico. Isso proporciona às marcas a oportunidade perfeita de experimentar novas e criativas maneiras de contar histórias.

POR QUE O TUMBLR É UMA PLATAFORMA ESPECIAL

Ao contrário do Facebook e do Twitter, que usam quem você conhece para orientar suas conexões sociais, no Tumblr elas são feitas com base nos interesses das pessoas – "produza (o colírio para os olhos do público certo) e ele virá". Além disso, o Tumblr tem o colírio do GIF animado como tradição (até pouco tempo atrás, era a única plataforma a viabilizar esse tipo de postagem).

GIF é a sigla de Graphics Interchange Format, ou "formato para intercâmbio de gráficos", o que está longe de explicar que diabos isso significa. Mas você já os viu por aí. Tornaram-se tão populares que o *Dicionário Oxford de Inglês* escolheu "GIF" como a palavra do ano de 2012 nos Estados Unidos. Se tiver idade suficiente para lembrar da série *Ally McBeal*, também vai se recordar do bebê dançante que invadiu a internet por um tempo. Aquele foi um dos primeiros memes de GIF animado. Hoje em dia, alguém pode postar um vídeo de 3 segundos em loop com a Oprah se pavoneando entre a plateia ou uma paisagem com árvores balançando ao vento. Isso é um GIF animado. As pessoas também os adotaram como emoticons animados, usando GIFs animados de celebridades com o queixo caindo, por exemplo, para expressar surpresa e choque.

Os GIFs animados estão se transformando em um novo movimento cultural, um meio de expressão pessoal. O melhor lugar para encontrá-los é o Tumblr. As pessoas estão criando uma arte incrível com o formato, transformando imagens comuns em minimundos mágicos. A imagem de um peixe pode ser bonita, mas a imagem de um peixe com a boca abrindo e fechando é surpreendente, engraçada, dramática e dinâmica.

Será que isso faz tanta diferença assim, especialmente considerando que o número de usuários da plataforma é tão menor do que o de outros sites visuais como o Pinterest e o Instagram? Uma comparação não científica de imagens fixas com GIFs animados no Tumblr revela que as pessoas tendem a se engajar mais com imagens em movimento do que com imagens estáticas. Muitas vezes, uma foto deslumbrante recebe três vezes *menos* curtidas do que a imagem um tanto insossa ao lado, só porque a sem graça é um GIF animado. E qual é a função de uma empresa ou marca se não oferecer surpresa e encantamento aos clientes?

POR QUE O TUMBLR É UM RINGUE DE TREINAMENTO ESPETACULAR

O Tumblr sempre foi mais uma plataforma de publicação do que uma plataforma de consumo, mas as pessoas também vão lá para consumir, só que a uma velocidade incrivelmente rápida. É por isso que é perfeita para o celular: porque os usuários podem rolar o feed e consumir um fluxo interminável de imagens belas e até fantasmagóricas.

As possibilidades de dar *jabs* nessa plataforma são infinitas. Conte sua história e aumente a visibilidade de sua marca usando belas expressões artísticas que salientem o que ela tem de especial. O Tumblr é artístico e o público da plataforma também. Não estamos falando de um álbum de recortes artesanal e provinciano, mas de uma plataforma bonita, urbana, sofisticada, moderna e irônica. Estude-a, descubra o que as pessoas estão querendo e entregue isso na língua nativa do Tumblr, de preferência na forma de um GIF. Essa é a maneira mais segura de levar as pessoas a reduzir a velocidade com que rolam a tela e talvez até parar para expressar sua aprovação, tocando no botão do coração ou deixando um comentário. Também não tenha medo de mixar o conteúdo alheio como um DJ, acrescentando seu próprio texto e postando em seu blog. A facilidade de compartilhamento é que faz com que seja uma moleza expandir sua comunidade aqui. Não deixe de incluir muitas tags detalhadas para as pessoas encontrarem seu conteúdo.

O Tumblr é uma plataforma de *jabs*, mas também é possível lançar ganchos de direita. Só não faça muito alarde. Aqui e ali, inclua um link no fim de seu conteúdo direcionando os usuários à sua página na internet ou seu e-commerce. Se seu conteúdo for tão bom como deveria ser, os usuários ficarão empolgados com a chance de comprar seu produto ou serviço. Além disso, como acontece com todas as plataformas, fique de olho em oportunidades de converter vendas. Mesmo se não parecer que o Tumblr é o site ideal para você, é melhor entrar lá logo e se familiarizar com a plataforma porque, quando seus concorrentes se tocarem de que estão perdendo a chance, você já terá dominado a área.

Acredito que todas essas dicas continuarão relevantes mesmo apesar de o Yahoo ter comprado o Tumblr por US$ 1,1 bilhão. Minha opinião pode ser um pouco tendenciosa, já que tenho a sorte de ter investido no Tumblr, mas não acho que a aquisição levará a muitas mudanças. O Yahoo provavelmente não vai interferir e deixará solta a genialidade de David Karp. É provável que vejamos uma publicidade um pouco mais agressiva na plataforma, mas, se o Yahoo tiver a cabeça no lugar, abordará a aquisição da mesma forma que o Facebook quando comprou o Instagram e deixará o Tumblr do jeito que está.[1]

ERROS E ACERTOS
LIFE: FAZENDO A PONTE ENTRE GERAÇÕES

Feliz aniversário, Marlon Brando – comemore com fotos raras do início da carreira dele.

Não publicado originalmente na revista LIFE. Marlon Brando faz uma pausa enquanto ensaia para seu papel em Espíritos indômitos, de 1949

(Ed Clark – Time & Life Pictures/Getty Images)

Tweet 0   Curtir 3

3 de abril

Como já vimos, uma das maiores vantagens do Tumblr é proporcionar uma plataforma nativa para o GIF animado e ser o hábitat natural de artistas jovens e descolados e empresas modernas. No entanto, um dos melhores posts do Tumblr apresentados neste livro não é um GIF animado nem foi concebido por uma marca particularmente moderna. É uma foto em preto e branco de 60 anos publicada em uma revista cujo nome só sobreviveu na internet (exceto por edições especiais impressas que podem ser encontradas de vez em quando nos caixas de supermercados nos Estados Unidos).

E é um post fantástico. Veja por quê:

★ **É difícil ser mais descolado do que isso.** O Tumblr é uma plataforma descolada. E existe alguém mais descolado do que Marlon Brando? Até as pessoas que não têm qualquer interesse na história da revista, uma pioneira no fotojornalismo, serão cativadas por esta imagem e ficarão curiosas para saber mais sobre a empresa que a postou.

★ **Surfa na onda do zeitgeist da cultura pop.**, Ao postar esta foto no aniversário de Marlon Brando, quando o ator estava prestes a virar assunto global, a Life deu ao post muito mais chances de ser notado pelos consumidores e por outras publicações do que se tivesse postado em qualquer outro dia.

★ **O conteúdo é uma raridade.** Ao publicar esta foto até então inédita proveniente de seus arquivos, a Life reforçou sua fama de fornecedor ade conteúdos exclusivos e especiais, que é exatamente o que o público do Tumblr quer. O potencial de boca-a-boca é enorme, porque os consumidores vão compartilhar o conteúdo só para poderem dizer que foram os primeiros a encontrar a foto.

A execução do conteúdo foi perfeita e continuar nessa linha deve ajudar essa marca tradicional a ser reconhecida e conquistar acesso à geração mais jovem.

PAUL SCHEER: STORYTELLING EM VEZ DE AUTOPROMOÇÃO

Quando os sonhos são realizados…
fonte: breakinggifs.com

Você já viu o comediante Paul Scheer antes – ele tem uma fenda do tamanho do Grand Canyon entre os dentes, é figurinha carimbada em vários filmes e séries, como a paródia policial NTSF:SD. SUV no Adult Swim do Cartoon Network, o 30 Rock, o Yo Gabba Gabba e a comédia de fantasy football The League, no FX. Obcecado pela série Breaking Bad, Sheer criou um blog no Tumblr para espalhar a notícia sobre o programa a seus fãs e convencê-los a assistir também. Com isso, ele deu ao público uma razão para segui-lo – o que é bom mesmo, porque o cara é brilhante

★ **Uso inteligente do conteúdo nativo.** Scheer se beneficia da plataforma que melhor lhe dá acesso ao meio que mais faz decolar os índices entre os usuários de mídia social, o GIF animado, chegando a proclamá-lo a próxima forma de arte dominante. "Se o Leonardo da Vinci pintasse a Capela Sistina hoje, ele usaria GIFs." (Eu sei, eu sei... Foi Michelangelo quem pintou a Capela Sistina. Mas ele também usaria GIFs.)

★ **Tira proveito da cultura pop.** Breaking Bad é extremamente popular entre os fãs da série de modo que, em vez de tentar competir pela atenção deles, Scheer usou a plataforma do Tumblr para participar de uma conversa que já estava rolando.

★ **Promove a marca em vez de vendê-la.** Em vez de usar o post para se autopromover, Scheer conta uma história sobre si mesmo e expande a comunidade a outras pessoas que curtem seu jeito maluco de se expressar. Além dos fãs do Breaking Bad, o blog também leva qualquer pessoa que curta arco-íris psicodélicos e biscoitos Pop Tart voadores a dizer aos amigos para dar uma olhada. O interesse das pessoas pelo trabalho e pela personalidade de Scheer provavelmente as levará a segui-lo muito além do fim de Breaking Bad.

Com esta campanha no Tumblr, Scheer está a caminho de entrar na mesma categoria de comediantes que Betty White e Louis C.K., que souberam usar a cultura pop e a tecnologia para se alçar ao estrelato e elevar suas carreiras a novas alturas.

SMIRNOFF: FAZENDO TUDO ERRADO

Não seria melhor ter ficado quietinha no seu canto, Smirnoff? Este post mostra que a marca não tem noção de como a plataforma do Tumblr funciona.

★ **Texto idiótico.** Você pergunta aos fãs: "Quer algumas ideias de drinques? Dê uma olhada no @SmirnoffUS no Twitter". Por que eles se dariam ao trabalho? O que você ofereceu neste post que levaria qualquer apreciador de bebidas a acreditar que a Smirnoff tem algo interessante a dizer?

> 6 meses atrás
> delícia   comida   Smirnoff   vodka
> receitas de drinque   bebidas alcoólicas
> Quer algumas ideias de drinques? Dê uma olhada em @SmirnoffUS no Twitter.

★ **Nenhum link.** Se a meta fosse incentivar os fãs do Tumblr a começar a seguir a Smirnoff no Twitter, não teria feito mais sentido incluir um link levando à outra plataforma? Os consumidores só conseguem prestar atenção a alguma coisa por alguns meros segundos. Você precisa fazer o trabalho por eles.

★ **Foto chata.** Já é ruim usar uma imagem fixa em uma plataforma que oferece a opção de postar GIFs animados e empolgantes que chamam a atenção. Mas a Smirnoff poderia ter se redimido se a equipe criativa pelo menos tivesse feito algo artístico com a foto, como a Absolut fez na década de 1990. Como acha que poderia agregar algum valor aos consumidores com uma foto de uma garrafa de Smirnoff extraída de um banco de imagens? Se ao menos tivesse feito a garrafa se movimentar de um lado ao outro, já teria sido mais interessante do que isso.

FRESH AIR: MOSTRANDO QUE CONHECE SEU PÚBLICO

POSTADO EM 10 DE ABRIL DE 2013   NOTAS | PERMALINK
Reblogado de nightowlauthor

Eu adoeci e não fui trabalhar na semana passada e por isso não documentei adequadamente aqui no Tumblr o falecimento da roteirista e romancista **Ruth Prawer** Jhabvala. Jhabvala é mais conhecida pelos roteiros que escreveu para Ismail Merchant e James Ivory, incluindo o de *Uma janela para o amor* e *Retorno a Howards End*. Ela ganhou o Oscar de melhor roteiro adaptado dos dois filmes. Jhabvala tinha 85.

The New York Times:

> Ao longo de quatro décadas, a começar em 1963, Jhabvala fez 22 filmes com Merchant e Ivory, todos analisando a cultura de uma forma ou de outra, muitas vezes uma cultura que já não existe mais...
> O elenco foi em grande parte britânico, repleto de estrelas do calibre de Maggie Smith, Anthony Hopkins, Emma Thompson, Daniel Day-Lewis, Helena Bonham Carter e Vanessa Redgrave. Em **"Cenas de uma família"** (1990), filme baseado nos romances de Evan S. Connell, Paul Newman e Joanne Woodward, casados na vida real, foram recrutados para os papéis principais.
> Mas o roteiro de Jhabvala foi fundamental para o sucesso do filme. Ela contribuiu com diálogos sofisticados e um olhar arguto para as nuances de classe e etnia, como Stephen Holden **escreveu no The New York Times**.

Acima, um dos beijos mais famosos de todos os tempos nas telas, do filme Uma janela para o amor, estrelado por Julian Sands e Helena Bonham Carter.

RUTH PRAWER JHABVALA   DESCANSE EM PAZ   DESCUIDO

Para uma empresa de mídia normalmente sisuda, a NPR mostrou um jogo de cintura surpreendente e admirável ao se reposicionar de emissora de rádio para disseminadora de informação e entretenimento em todas as plataformas digitais. Fresh Air, o programa de debates sobre arte e cultura da emissora, também demonstra sensibilidade e perspicácia com esse exemplo de um microconteúdo perfeito para o Tumblr:

★ **Arte nativa.** O único inconveniente dos GIFs animados é que não dá para reproduzi-los em um livro, e você precisará ir ao blog do Fresh Air no Tumblr para sentir todo o impacto do loop repetido desta cena do filme de Merchant e Ivory, *Uma janela para o amor.* George, interpretado por Julian

Sands, beija apaixonadamente Lucy, interpretada por Helena Bonham Carter, toda doce e inocente antes de se tornar a sádica Bellatrix Lestrange de Harry Potter.12 Vale a pena visitar o site para ver a execução perfeita do Fresh Air neste post em homenagem à roteirista Ruth Prawer Jhabvala.

★ **Texto tudo a ver com a marca.** Normalmente, tanto texto assim em um post do Tumblr seria de espantar qualquer um, mas o conteúdo foi criado para o público da NPR, que é composto de leitores ávidos. Teria sido estranho para a emissora não explicar por que o blog ignorou o falecimento da roteirista. Além disso, o texto é tão pessoal e tão Fresh Air que dá uma boa ideia dos seres humanos por trás do blog.

ANGRY BIRDS: CANALIZANDO O INVESTIMENTO EMOCIONAL

O blog do Tumblr no qual esta arte foi postada foi indicado para o prêmio Webby de 2012. Ela foi criada pela Rovio, a companhia que criou o Angry Birds, um verdadeiro marco cultural em forma de jogo, que então a combinou com outra referência, o Guerra nas Estrelas, para criar o megassucesso Angry Birds Star Wars. A popularidade do site se justifica por várias razões, mas um detalhe merece atenção especial porque mostra que a empresa saca o Tumblr:

★ **Eles convidaram a comunidade.** Daria para esperar que a qualidade de qualquer arte criada pela Rovio fosse do mais alto calibre. Mas, se você der uma olhada no banner do lado esquerdo da imagem, verá que não foi a Rovio que criou essa arte. Na verdade, foi um fã. E a Rovio se deu ao trabalho de deixar isso bem claro para todo mundo. Foi uma jogada muito inteligente por parte da empresa. A família do Tumblr é uma comunidade profundamente comprometida, e a Rovio foi esperta ao perceber que, se convidasse os seguidores a participar de seu blog e não apenas a segui-lo, os seguidores transfeririam grande parte de seu investimento emocional ao blog. É um jeito muito bom de expandir a comunidade e reforçar a conscientização da marca.

LATE NIGHT WITH JIMMY FALLON:
JOGANDO LENHA NA FOGUEIRA DA GRANDEZA

O blog do comediante Jimmy Fallon no Tumblr, repleto de conteúdo reblogado de fãs que criam GIFs animados com clipes de seu show, é um excelente exemplo de como contar uma história na plataforma. Em todos os posts, nos divertimos com as expressões faciais malucas e falas engraçadas dos convidados e colegas comediantes como Amy Poehler e Retta Sirleaf. Neste microconteúdo específico, Fallon usa dois GIFs animados como porta de entrada para drogas mais pesadas, instigando nossa curiosidade para nos levar a clicar no link do YouTube, onde podemos assistir à entrevista com Adam Scott na íntegra. Este conteúdo é eficaz em todos os níveis:

★ **Usa conteúdo originalmente postado por uma fã?** Sim.
★ **Dá os créditos a essa fã para que outros usuários do Tumblr possam encontrá-la?** Sim.
★ **Usa um GIF animado?** Sim.
★ **Convida o boca-a-boca?** Qualquer seguidor do Tumblr que acabou de fazer 40 anos ou conhece alguém nessa situação poderia compartilhar este conteúdo e, se os mais de 2 mil comentários e o número de curtidas e compartilhamentos forem algum indicativo, parece que foi exatamente o que aconteceu.

AMAZON MP3: PASSANDO O CHAPÉU DESCARADAMENTE

Adoro este gancho de direita pelo simples fato de ele existir. O post pode levar o nome da Amazon, mas a loja Amazon MP3 não conta com a conscientização de marca de sua matriz gigantesca, o que a aproxima mais de uma loja de varejo qualquer. Muita gente me pergunta como os varejistas deveriam agir nas redes sociais, e este é um excelente exemplo.

É interessante notar como as imagens em preto e branco ajudam os índices a decolar no Tumblr. Fica claro que a loja Amazon MP3 está trabalhando com materiais promocionais criados para o álbum de Justin Timberlake, de modo que isso talvez tenha sido um mero golpe de sorte. De qualquer maneira, a equipe soube aproveitar uma imagem impactante e dramática.

Luxo acessível: **Compre o The 20/20 Experience de Justin Timberlake por apenas US$ 7,99 só até segunda.**

★ **O texto é direto, com a voz certa para o público e para o álbum:** Apenas duas palavras – "luxo acessível" – dão a impressão de que estamos comprando um produto premium a preço de banana. O link leva ao produto e à loja, sem obrigar a procurar o produto anunciado. E, finalmente, ali mesmo no texto, o preço: US$ 7,99, só até segunda-feira. Sem vergonha, sem acanhamento. A oferta está longe de ser uma indireta.

★ **O microconteúdo resume a mensagem deste livro inteiro:** Se souber dar *jabs* certos antes – agregando valor a seus clientes na forma de um sorriso, uma informação divertida ou uma notícia de última hora –, você conquista o direito de dizer "Compre agora!" e "Compre isso!" sem parecer um camelô. *Jabs* eficazes lhe dão o direito de lançar ganchos de direita despudorados.

WWF: MINANDO OS PRÓPRIOS RECURSOS

Tem um lado meu que adorou criticar este post do World Wildlife Fund. É uma pequena retribuição por tudo o que sofri depois que a organização forçou a World Wrestling Federation – Federação Mundial de Luta Olímpica –, que também usava a sigla WWF, a mudar de nome para World Wrestling Entertainment.

O World Wildlife Fund tem algumas fotos deslumbrantes em seu blog. Esta, de um homem com uma criancinha no colo, é uma delas. Infelizmente, o WWF não fez nada para torná-la memorável. Não há nada de chato ou insosso nas causas defendidas, e mesmo assim o blog no Tumblr é tão inspirador quanto uma caixa de areia vazia. Ele não conta nenhuma história para chamar a atenção, não dá qualquer razão para querermos saber quem são as pessoas retratadas na foto e não apresenta nenhum *call to action* claro.

Acabou de fazer o upload de 1 nova(s) foto(s) no Flickr: http://bit.ly/PEoiEU

★ **Texto seco e chato.** "Acabou de fazer o upload de 1 nova(s) foto(s) no Flickr." E daí??? Quando clicamos no Flickr para ver a foto, surge um texto tão insosso que parece recortado e colado de um banco de dados. Não contém nenhuma história.

★ *Call to action* **fraco.** É só quando clicamos no link que leva à conta da WWF no Flickr que ficamos sabendo que a foto é de um líder comunitário de Bornéu e seu filho de 5 anos. Somos informados que a comunidade está envolvida no projeto Kutai Barat, dedicado a "ajudar as comunidades do rio Mahakam a assegurar seus direitos de posse de terra e não perder seu meio de subsistência". Em seguida, um único link adicional nos leva de volta à página inicial do WWF e não a uma página dedicada ao projeto Kutai Barat.

O WWF tem acesso a todos os recursos necessários para contar algumas das histórias mais interessantes do Tumblr, mas neste post pisou na bola... e feio.

DENNY'S: MOSTRANDO ALGUMAS JOGADAS DELICIOSAS

> | FACEBOOK | TWITTER | ARCHIVE | DENNYS.COM |
>
> Pilhas sobre pilhas sobre pilhas... de panquecas.
> Fonte: dennys
>
> Pilhas sobre pilhas sobre pilhas... de panquecas.
> Fonte: dennys
>
> DENNYS PANQUECAS GIFS DE COMIDA GIF
> CAFÉ DA MANHÃ SEM OFENSA

Este é apenas um exemplo do trabalho fantástico que a Denny's faz no Tumblr.

★ **Excelente GIF.** A empresa é expert em GIFs animados. Neste post, um garfo levanta repetidamente uma pilha macia de panquecas quentinhas com calda escorrendo.

★ **Excelente link.** Se você conseguir desgrudar os olhos do GIF, verá quatro links enormes levando ao feed da Denny's no Twitter, à página de Facebook, aos arquivos no Tumblr e ao site corporativo. Não dá para deixar de ver.

★ **Excelente texto.** O texto brinca com a famosa canção "Racks", do YC, demonstrando que a marca, popular entre famílias e aposentados, também sabe falar a língua da Geração do Novo Milênio. Tanto que uma blogueira que atende pelo nome Synecdoche, escritora de Nova York com uma grande base de seguidores no Tumblr, sentiu a necessidade de reblogar o post a todos os seus seguidores. Quando uma marca corporativa consegue arrancar elogios de uma personalidade anticorporativa como ela, essa marca está sendo recebida de braços abertos pela multidão. É o tipo de boca-a-boca que pode ter um grande impacto em seu negócio, do tipo capaz de levar um carro cheio de usuários do Tumblr famintos e amantes do rap a parar no estacionamento de uma unidade da Denny's.

TARGET: ACERTANDO NA MOSCA

Para ver um exemplo de história contada no tom perfeito para a linguagem nativa da plataforma e um excelente gancho de direita, dê uma olhada nesta página da Target no Tumblr. A página mostra um vestido. Mais especificamente, um vestidinho rodado com fecho nas costas. E em 3,7 segundos um GIF animado piscante nos mostra todas as versões do vestido – preto floral, preto e branco listrado, turquesa com bolinhas brancas –, ao mesmo tempo em que demonstra como o vestido gira.

★ **O post é clean.** O GIF animado do vestido se destaca sobre um fundo branco e um texto minimalista e elegante em preto.

★ ***Call to action* direto.** Imediatamente abaixo do GIF, três links (o vestido de bolinhas só pode ser comprado na loja) permitem ao usuário escolher o vestido que quiser e o leva direto ao site da Target para finalizar a compra. As tags também são perfeitas.

Alguém na Target sabe exatamente o que está fazendo.

o vestido
Um clássico modernizado que adora girar.

o vestido
Um clássico modernizado que adora girar.

Um vestidinho rodado com fecho nas costas
Perfeito para girar.
compre o seu agora. floral, fecho, preto e branco. o vestido de bolinhas está disponível na loja.
TAGS
PRIMAVERA / ALEGRIA / BOLINHAS / FLORAL / FECHO / PRETO / BRANCO / VESTIDO / SEM MANGA / TARGET / FASHION / ESTILO / ESTILO TARGET / NO PONTO

GQ: MOSTRANDO QUE SABE TUDO DO TUMBLR

Para celebrar a estreia da sexta temporada do seriado Mad Men, a GQ anunciou o "Dia do Mad Men!" no Tumblr, incluindo no post uma foto de alguns personagens da série entregando-se a mais um happy hour. Veja por que o post conseguiu mais de 2 mil notas:

★ **Eles mostraram que estão de olho na cultura pop.** Milhões de pessoas esperavam ansiosamente pelo retorno de seus publicitários favoritos de meados do século passado. A GQ foi esperta e capitalizou o entusiasmo do público pela série.

★ **Links inteligentes.** A revista não só incluiu um link abaixo da foto, como a imagem em si tem um link que leva a um artigo de tamanho considerável, "O Guia da GQ para Mad Men", que a revista publicou um ano antes, na véspera da estreia da quinta temporada, lembrando aos seguidores onde eles podem ir para ler uma cobertura aprofundada do Mad Men.

★ **Tags apropriados.** Os tags são parte fundamental da cultura do Tumblr e neste post a GQ os usou bem, incluindo palavras-chave como "Televisão", "John Slattery", "Jon Hamm", "Don Draper" e "Mad Men".

**PERGUNTAS QUE VOCÊ DEVE FAZER SOBRE
SEU CONTEÚDO NO TUMBLR:**

Eu customizei meu tema para refletir adequadamente minha marca?

Fiz um GIF animado legal?

Fiz um GIF animado legal?

Fiz um GIF animado legal?

OITAVO ROUND

OPORTUNIDADES EM REDES DIVERSAS

A cada ano que passa, o mundo fica um pouco menor, um pouco mais social, um pouco mais conectado. Criar um conteúdo que nos permite compartilhar nossas experiências, pensamentos e ideias em tempo real está se tornando parte integral da vida no século 21 (na verdade, estamos chegando ao ponto em que, se não compartilharmos ou se optarmos por não nos conectar, isso já quer dizer muita coisa). É por isso que é interessante pensar no potencial de *jabs* e ganchos de direita em plataformas menos óbvias, que não são tão sociais assim. É só uma questão de tempo antes de os usuários as adaptarem ou exigirem adaptações por parte dos desenvolvedores, para incluir o lado social que as pessoas cada vez mais querem. Tudo promete ser uma experiência social.

LinkedIn
- Lançado em: maio de 2003
- 433 milhões de usuários em mais de 200 países.
- A cada segundo, dois novos membros se cadastram no site.
- Mais de 2,8 milhões de empresas têm uma página no LinkedIn.
- Executivos de todas as empresas da *Fortune 500* são membros.
- Estudantes e recém-formados constituem o grupo demográfico de mais rápido crescimento do site, com 40 milhões já inscritos.
- A plataforma foi adquirida pela Microsoft, por US$ 26,2 bilhões, em junho de 2016.

Entrar no LinkedIn para se informar das novidades de trabalho é quase como entrar no Facebook para saber da família e dos amigos. As duas redes são como salas diferentes de uma mansão Downton Abbey virtual. O Facebook é a sala de jantar, onde socializamos e nos conhecemos melhor, e o LinkedIn, a biblioteca, onde fechamos negócios.

O LinkedIn está dando duro para incentivar uma maior criação de conteúdo por parte dos usuários e evoluir de uma mera ferramenta de rede a um centro de conexão profissional. Os usuários agora podem compartilhar análises e exemplos de seu trabalho com suas conexões. O site também lançou os "influenciadores do LinkedIn", que contribuem com artigos em sua área de expertise.

Muito disso já pode ser feito no Facebook, o que faz com que o LinkedIn tenha ainda um longo caminho a percorrer para alcançar o gigante. Mas há um aspecto no qual já tem vantagem, por ser exclusivamente orientado aos negócios: proporciona uma plataforma natural para o marketing de organizações B2B, que ainda não viram muitos motivos para se dar ao trabalho de entrar no Facebook. Se você trabalha em uma empresa de materiais de escritório ou se é advogado, o LinkedIn pode ser um lugar interessante para contar sua história. É um ringue de *jabs* fértil para todas as companhias e marcas, B2B ou não. Se ainda precisar de mais incentivo, basta pensar no poder de compra do público do LinkedIn. A relevância da plataforma ainda não atingiu um nível no qual você precisa postar conteúdos no mesmo ritmo que deve fazer em outros sites de redes sociais, mas seria interessante se manter sempre em movimento aqui também.

O LinkedIn é a plataforma na qual você tem mais liberdade de postar textos longos. Pense no que as pessoas estão buscando quando vão ao site. Elas estão famintas por informação, estão à procura de um emprego, querem encontrar vantagem competitiva, querem conhecer pessoas com afinidades profissionais. Você pode encontrar maneiras criativas e inteligentes de se tornar indispensável para alguém que está em busca desse tipo de relacionamento. E pode se dar ao luxo de ser menos chamativo, talvez um pouco mais sério e ponderado. Ou não. Você pode evitar gírias, kkkk e rsrsrs, mas ainda trabalhar com um pouco de leveza em um ambiente sério. O segredo para dar ímpeto à sua marca no LinkedIn será oferecer um conteúdo nativo completamente diferente – e que agrega um valor completamente diferente – do que oferece aos fãs em outras redes sociais.

Google+
- Lançado em: junho de 2011
- 400 milhões de usuário (100 milhões ativos mensalmente)

O futuro do Google+ como plataforma de marketing viável ainda é um grande ponto de interrogação. Seu argumento de venda é forte, porque diz respeito à otimização de busca (SEO, em inglês) na web: como o buscador Google dá preferência aos próprios produtos, ter uma conta no Google+ afeta positivamente a colocação da empresa nas buscas. A plataforma não "pegou" como outras, porque, em 2011, quando fundada, já havia várias opções a escolher. A maior parte do mundo simplesmente não se interessa muito pelo Google+ como um produto independente, porque este não oferece muito além daquilo que as pessoas já encontram no Facebook.

Os números contam outra história. O Google+ ostenta seus 400 milhões de usuários como prova de que a plataforma está conquistando uma base de fãs. No entanto, os números são tão inflados quanto os lábios de uma dona de casa de Beverly Hills, porque o Google exige que os consumidores se cadastrem no Google+ se quiserem se cadastrar em qualquer outro produto do Google, como o YouTube. Basta uma análise um pouco mais aprofundada para notar que uma grande porcentagem de todas essas contas está dormente. A plataforma depende da escala e da força dos outros produtos do Google.

Se o Google Glass ou um similar decolar um dia, talvez o Google+ tenha uma chance de lutar com o Facebook pela preferência dos consumidores. Por quê? O Google Glass pode muito bem substituir os dispositivos móveis. Ele permitirá que os usuários gravem tudo o que veem e transmitam tudo isso ao vivo. Poderá exibir um mapa diretamente em nossa linha de visão, mostrar resultados de buscas no Google a um simples comando e será ativado por voz, eliminando a necessidade de usar as mãos. Com esse tipo de tecnologia, quem é que vai precisar de um celular?

Agora, essa história pode acabar de duas maneiras. O Facebook vai querer desenvolver um app para permitir a seus usuários ver o que os amigos estão transmitindo pelo Glass e este, justificadamente, vai querer se beneficiar da escala do

Facebook para expandir sua base de usuários. Ou o Google também pode decidir fechar a rede social do Google Glass, exigindo um login na conta do Google+ para qualquer usuário que queira ver o conteúdo do Glass dos amigos. Se eventualmente os óculos se popularizarem e a única maneira de usá-los for pelo Google+, as pessoas começarão a passar muito mais tempo nessas contas hoje dormentes. E, se o Google continuar a integrar automaticamente o Google+ a todos os outros serviços e dispositivos de seu portfólio dos quais as pessoas tanto gostam – a ferramenta de busca, o Gmail, o YouTube e os dispositivos para Android –, a vitória do Google será por nocaute. Mas ainda é tudo um grande "se". (Se acontecer mesmo, marcas e empresas não terão dificuldade com a estratégia de conteúdo ali; o contexto é similar ao do Facebook.)

Vine

- Lançado em: janeiro de 2013
- Em agosto de 2015, o Vine tinha 200 milhões de usuários.
- Na semana que se seguiu ao lançamento, quase a metade dos vídeos postados no Twitter tinham vindo do Vine.
- Cinco vídeos do Vine são compartilhados a cada seis segundos no Twitter.
- 71% dos usuários são millenials.

As restrições funcionam que é uma beleza. A gente costuma se irritar com as limitações impostas pelas plataformas de marketing, mas são justamente essas limitações que muitas vezes estimulam a nossa criatividade no storytelling. É por isso que temos de prestar muita atenção ao Vine, uma plataforma de vídeos de seis segundos em looping que o Twitter adquiriu e lançou com muito alarde. Hoje em dia, muitos espectadores potenciais preferem nem ver vídeos porque não têm como saber ao certo se o vídeo tomará dez segundos ou dez minutos de seu tempo, isso sem contar o vídeo promocional que o precede. A promessa de um limite de seis segundos incentiva muita gente a ver os vídeos do Vine, o que representa uma grande oportunidade para as marcas e empresas que souberem se beneficiar da plataforma.

Verdade seja dita: sou apaixonado pelo Vine. Acho que a promessa de seis segundos deve transformar a plataforma em uma das mais importantes do mercado. É o produto perfeito para o nosso mundo, oferecendo variedade suficiente para satisfazer os desejos dos consumidores eternamente em busca da próxima dose de dopamina, breve o suficiente para levar os que não têm muito tempo a voltar. Um conhecido me contou que a filha de 15 anos ficava acordada até as 3 da manhã vendo vídeos no Vine. Quando ele quis saber por que ela fazia isso, a menina respondeu que não era de propósito. Ela decidia largar o tablet ou o celular, mas, quando via um novo vídeo, pensava: "Só mais este... são só seis segundos".

Marcas e empresas precisam priorizar o Vine. De maneira bem parecida com o Instagram e o Facebook, a plataforma começou atraindo crianças e jovens, dos 8 aos 21 anos. Daqui a uns 24 a 36 meses, contudo, a comunidade vai se expandir consideravelmente, e as empresas já deveriam marcar presença na plataforma. O Vine pode fazer para o YouTube o que o Twitter fez para o Facebook. Sempre existirão histórias mais longas, mais adequadas para o YouTube, mas o Vine se tornará a principal plataforma para ver vídeos devido à sua integração com o Twitter. Se você ainda precisar de um incentivo extra, pense nisto: em março de 2013, os consumidores já compartilhavam vídeos promocionais de marcas do Vine quatro vezes mais do que os da internet.

Assim, preciso convencer você, leitor, a prestar atenção no modo como edita seus vídeos. Muita gente comete o erro de filmar uma imagem por seis segundos seguidos. Isso é muito chato. Do mesmo modo em que as edições e os cortes são o que criam ritmo e suspense em um filme de longa-metragem, esses recursos são fundamentais para contar histórias no Vine. Provavelmente ainda haverá mudanças na plataforma, mas eu darei duro para descobrir o melhor modo de usá-la à medida que evolui. Enquanto escrevo este livro, estou criando uma nova agência para representar os melhores Viners do mundo. [Gary Vaynerchuk criou a GrapeStory, agência de talentos para criadores de microconteúdo do Vine, Instagram e Snapchat.]

Snapchat
- **Lançado em: setembro de 2011**
- **60 milhões de "snaps" já eram enviados por dia em fevereiro de 2013 – em julho de 2016, eram 9 mil imagens por segundo.**
- **150 milhões de usuários ativos diariamente no mundo.**

Serviço que permite aos usuários enviar fotos e vídeos que se autodestroem em questão de segundos depois de vistos, o Snapchat foi rotulado de imediato como plataforma de *sexting* (combinação de *sex* com *texting*, significando troca de mensagens com imagens e vídeos de conteúdo sexual). Muitas pessoas ficariam surpresas ao saber que, na verdade, a plataforma é muito mais usada para fazer circular brincadeiras e piadas visuais do que imagens pornôs. O Snapchat foi criado para um mundo que não suporta nem um minuto de tédio e que está se viciando rapidamente em publicar conteúdo. Compartilho, logo existo. Considerando que, antes, a internet funcionava com a regra dos 90-9-1 – o princípio de que em geral 90% dos usuários consumem conteúdo, 9% o editam e só 1% o cria –, apps como o Snapchat vão revolucionar essas proporções para algo mais parecido com 75-20-5. Ele não foi feito para um conteúdo profundo nem para produzir nada a ser guardado com carinho por toda a eternidade – ou a ser analisado como estudo de caso em um livro no futuro. É para as pessoas obterem uma dose de entretenimento e risadas antes de continuar o dia. Imagine o poder de uma marca ou empresa capaz de lançar bons *jabs* a ponto de se tornar a fonte preferida desses pequenos momentos de descontração que nos permitem suportar a rotina. É também um lugar onde seu conteúdo pode obter uma atenção mais focada do que em qualquer outra plataforma, porque, sabendo que o conteúdo vai desaparecer em segundos, os consumidores não querem perder nada.

Como costuma acontecer, essa nova plataforma foi criticada pelo baixo valor que cria. Dizem que "é uma plataforma inútil", que "ninguém vai usá-la para nada importante". Já ouvimos tudo isso antes. O debate em torno do verdadeiro valor do Snapchat é o mesmo que ocorreu em torno do Facebook e do Twitter não muito tempo atrás. E muita gente já descobriu algum valor no Snapchat, pois mais de 60 milhões de imagens são enviadas ali todos os dias – um valor que tende a crescer à medida que a plataforma amadurece.

Seja Snapchat, seja Vine, Google+ ou até LinkedIn, o fato é que as plataformas listadas nesta seção ainda oferecem oportunidades limitadas para sua empresa desferir ganchos de direita por enquanto. Mas o "por enquanto" não é "para sempre". Alguém vai descobrir como fazer isso. Pode ser eu. Pode ser outra pessoa. Por que não você?

NONO ROUND

EMPENHO

O conteúdo é rei, o contexto é Deus e depois entra o empenho. Juntos, eles são a santíssima trindade para vencer no Facebook, no Twitter e em qualquer outra plataforma social que apareça – e até nos negócios como um todo. Sem empenho – intenso, sistemático, comprometido, 24 horas por dia e 7 dias por semana – até o melhor microconteúdo de mídia social postado no contexto mais apropriado vai beijar a lona com a mesma deselegância que James "Buster" Douglas quando despencou ao fim da luta de novembro de 1990 contra Evander "The Real Deal" Holyfield.

É uma história triste, mas deveria ter sido o filme seguinte de *Rocky, o Lutador*. Na ocasião da luta, Douglas usufruía da glória e da fama de ser o campeão mundial dos pesos-pesados, depois de derrotar inesperadamente o campeão até então invicto, "Iron" Mike Tyson, nove meses antes. Eu tinha 15 anos e fiquei tão chocado que me enfiei na cama e não fui à escola no dia seguinte. Sem brincadeira.

Ninguém esperava que Douglas vencesse aquela luta contra Tyson. Tyson era o melhor pugilista do mundo e muita gente achava que ele era o melhor boxeador da história. Era a décima vez que ele defendia o título. Douglas tinha se mostrado um lutador inconsistente na melhor das hipóteses, e muitas vezes recebia mais destaque do que deveria. As probabilidades eram tão altas a favor de Tyson que só um cassino aceitou fazer apostas na luta. A maioria das pessoas só assistiu para ver com que velocidade Tyson nocautearia Douglas.

Mas Douglas fez algo que ninguém esperava: treinou como um homem possuído pelo diabo. Em parte, foi motivado pelo falecimento inesperado da mãe: "Eu sabia que, em algum lugar, ela estava dizendo: 'Esse é o meu garoto. Ele vai conseguir'. Se eu não desse meu máximo, se eu não fizesse tudo o que eu era capaz de fazer, pensei que o trajeto da minha mãe para o céu seria um pouco mais difícil. Eu não queria isso para ela". Mas ele também conheceu Mike Tyson em pessoa e não se impressionou. Tyson não podia ser o monstro invencível que todo mundo dizia que era, e Douglas provaria isso. Quando entrou no ringue, ele tinha mais do que dobrado sua capacidade de levantar peso no supino, de 80 para 180 quilos, perdeu mais de 13 quilos e viu incontáveis vídeos de Tyson lutando. Estudou as técnicas do Iron Mike, identificou suas falhas e, com a ajuda de seus técnicos e treinadores, montou uma estratégia para derrotá-lo.

Todo esse empenho compensou. Apesar de ter pegado uma gripe apenas 24 horas antes, Douglas atacou Tyson com uma série de *jabs* fortes e confiantes, até Tyson, com o olho inchado e quase fechado, ser forçado a literalmente usar as cordas para continuar de pé. Douglas deu a Tyson a primeira derrota de sua carreira.

O empenho é o grande nivelador. Não importa se seu concorrente é três vezes maior do que você e forte como um touro, se tem uma verba de marketing equivalente ao PIB de um país de porte médio ou se tem uma equipe de centenas de pessoas e você está sozinho trabalhando no seu armário de vassouras com dois laptops, um iPad e um celular. O que importa é o quanto você se empenha em seu trabalho. E o empenho nunca fez tanta diferença quanto hoje em dia. As mídias sociais deram acesso ao mercado e até uma vantagem sobre os gigantes corporativos para as pequenas marcas e empresas criativas, determinadas e ágeis. Mas, agora que as grandes empresas finalmente começaram a investir em plataformas de mídia social como o Facebook, as pequenas já não têm a grande vantagem que tinham antes. Uma ou duas pessoas não podem estar em tantos lugares ao mesmo tempo expandindo a comunidade quanto uma equipe de 20 pessoas. O que as pequenas marcas e empresas ainda podem fazer, contudo, é vencer pelo empenho. Grandes orçamentos de marketing não afetam em nada o empenho, o entusiasmo e a sinceridade que pode transpirar em suas conversas com seus clientes. Você não tem como estar em todos os lugares ao mesmo tempo, mas isso não fará tanta diferença se suas iniciativas de comunicação e expansão de comunidade forem melhores que as dos outros.

Se você desferir um excelente *jab* ou um gancho de direita espetacular no Facebook, as pessoas começarão a comentar. As empresas e marcas que se engajam com criatividade e sinceridade no maior número possível das conversas resultantes serão capazes de estabelecer relacionamentos mais profundos do que os adversários. Não deixe de marcar a pessoa com quem você quer conversar para ela ver que você respondeu e para atraí-la de volta à sua página para continuar a conversa. Você pode notar que alguns não entenderam direito qual vai ser o horário de sua liquidação do Black Friday ou não sabem ao certo se a liquidação ocorrerá em todas as suas lojas. Se você voltar e esclarecer a confusão, estará dando mais força ao seu gancho de direita e consolidando o relacionamento com seus clientes. E, quando estiver lá, dê um jeito de ser encantador. Seja engraçado. Mostre que você se importa. As pessoas adoram ser entretidas e informadas, mas qualquer um pode fazer isso. A verdadeira conexão e a fidelidade acontecem quando elas acreditam que você se interessa por elas tanto como clientes quanto como pessoas. O público em geral se encanta quando uma marca faz uma forcinha para satisfazê-lo. É uma raridade quando isso acontece e é aqui que você, seja como uma pequena empresa ou como um grande negócio, pode se distinguir dos outros. As organizações maiores serão capazes de se enfiar em mais conversas do que as outras. Mesmo assim, o volume por si só não elevará os níveis de engajamento com a marca – mas a qualidade da conversa, sim.

No entanto, nunca perca de vista que você está em uma luta de boxe interminável. É bem verdade que as marcas que souberem contar uma boa história após a outra, lançando bons *jabs* e ganchos de direita, poderão ficar tão fortes um dia que não mais precisarão engajar as pessoas tão freneticamente. Mas tudo é relativo: 20% menos do que um número insano de engajamentos costuma ser mais do que os níveis médios de engajamento que a maioria das marcas e empresas consegue. Mas você não pode ficar com preguiça e parar para descansar nos louros da vitória. É preciso manter o empenho ou será nocauteado em dez minutos. No caso de Buster Douglas, isso levou sete minutos e quarenta e cinco segundos, para ser exato.

A história de Douglas, que começou como o triunfo de um azarão, tomou um rumo decepcionante uns nove meses depois de sua vitória histórica sobre Mike Tyson. Quando deixou o ringue em fevereiro de 1990, ele estava em sua melhor forma e era o novo campeão mundial dos pesos-pesados. Passou os meses seguintes em turnê pela mídia, com convites para aparecer no programa de TV do David Letterman, posando para a capa da *Sports Illustrated*, dando autógrafos e curtindo a fama. Ao mesmo tempo, contudo, ainda estava de luto pela morte da mãe. Também admitiu sofrer de estresse e depressão devido a uma briga com Don King, o promotor de boxe de cabelos grisalhos espetados, que fez o que pôde para anular os resultados da luta entre Douglas e Tyson. O que Douglas não fez foi voltar ao treinamento com a mesma intensidade da preparação para o embate contra Tyson. Quando foi se pesar para a luta contra Evander Holyfield, parecia ter comido todos os cheeseburgers no mundo.

Quando Douglas e Holyfield se enfrentaram no ringue no dia 9 de novembro de 1990, não parecia haver uma grande diferença entre eles. Até o locutor comentou, talvez um pouco surpreso, que o tamanho dos dois não parecia muito diferente. O que não comentou, apesar de ter ficado claro assim que os lutadores tiraram o robe, foi a diferença na forma física. Os trapézios de Holyfield estavam tão delineados e fortes que sua cabeça parecia estar sobre um triângulo perfeitamente nítido e musculoso. Seus ombros e peito enormes pareciam lapidados em granito, com a definição de uma bela estátua. Quando Douglas deu saltinhos em seu canto, contudo, o pneu em sua cintura tremeu um pouco acima do calção branco; quando mudou o peso de um pé ao outro, os peitorais vibraram e caíram como esponjas molengas. Quando a luta começou, foi como ver um touro lutando com um buldogue. Douglas foi nocauteado no quarto round.

Empenho. Isso faz mais diferença do que a maioria das pessoas gostaria de admitir.

DÉCIMO ROUND

TODAS AS EMPRESAS SÃO ORGANIZAÇÕES DE MÍDIA

Acabei de passar nove capítulos enfatizando que o segredo do marketing social é o microconteúdo. Na verdade, quanto mais curto forem seu conteúdo e seu storytelling, melhor. Mas, olhando para o futuro, vejo um yin no yang do microconteúdo. Afinal, o conteúdo extenso e elaborado não está morto. Ele ainda vive na forma de vídeos no YouTube, artigos de revistas, programas de TV, filmes e livros, por exemplo, onde continua a encontrar um público de tamanho considerável. No entanto, à medida que as marcas continuam a expandir as fronteiras tradicionais para divulgar seu conteúdo e as empresas reconhecem que não precisam mais alugar meios de comunicação com tanta frequência, mas podem providenciar a mídia elas mesmas e repostar seu conteúdo sempre que quiserem, começarão a se perguntar por que precisariam contratar empresas de mídia. Por que não podem tornar-se a própria empresa de mídia? Não é uma ideia tão maluca assim. Não há nenhuma razão lógica para achar que uma empresa de pneus deve agir como crítico gastronômico, mas cem anos atrás o fabricante de pneus Michelin começou a avaliar restaurantes rurais para encorajar os moradores urbanos a dirigir mais e gastar pneus mais rápido. A Guinness criou o *Livro dos Recordes* para reforçar sua marca e alimentar com conteúdo a conversa de bar das pessoas. Da mesma forma, prevejo que, um dia, uma marca como a Nike poderia criar a própria programação esportiva e competir com a ESPN, ou a Amtrak poderia lançar uma publicação do calibre da *Travel + Leisure*. Os custos iniciais seriam extremamente baixos para uma marca de luxo como a Burberry publicar uma alternativa ao *Robb Report* ou para a Williams-Sonoma publicar a própria versão da *Eater* ou da *Thrillist*. Se as marcas mantiverem uma atitude de transparência para que os consumidores não sejam ludibriados, achando que esses sites e publicações são fornecedores de conteúdos 100% objetivos, essa pode ser uma maneira proveitosa de expandir sua marca e o alcance de seu conteúdo. De certa forma, não seria diferente do que fiz com a Wine Library TV. Todo mundo sabia que eu vendia vinhos, mas confiavam em minhas avaliações de produto porque eu me empenhava muito para ser honesto, justo e autêntico. Qualquer outra marca pode fazer o mesmo com seu produto ou serviço.

Algumas pessoas continuarão céticas. É de se esperar, em especial entre os mais velhos. Mas e os jovens, o grupo demográfico abaixo dos 30 anos que tem um radar afinadíssimo? Eles sabem que o futuro será assim e não se intimidam com isso. Cresceram na era da transparência e sabem que não têm escolha a não ser tratar seus consumidores com honestidade e respeito. Nenhum consumidor se contentará com menos.

No mundo do marketing, logo não haverá mais separação entre Igreja e Estado. Será empolgante testemunhar a inovação que virá quando as marcas se tornarem grandes players no mundo da mídia.

DÉCIMO PRIMEIRO ROUND
CONCLUSÃO

Requer muito, mas muito empenho descobrir como extrair o pleno potencial das plataformas de mídia social e hoje em dia nos vemos diante de sete grandes plataformas. Ao escrever este livro, tinha a esperança de que fosse curto e proveitoso – um livro tão visualmente atraente quanto um post do Tumblr ou do Pinterest –, decompondo as plataformas mais populares e empolgantes dos dias de hoje em seus elementos fundamentais de texto, imagem, tom e links, para que o cenário explosivo das mídias sociais parecesse um pouco menos intimidador para qualquer profissional de marketing ou empreendedor tentando se manter a par das novidades. Prometo que o investimento que você fizer se familiarizando com os meandros dessas plataformas vai compensar, agora e no futuro. Esses ambientes são voláteis e evoluem à velocidade da luz, mas a verdade é que a maioria das empresas e dos consumidores leva mais tempo para se adaptar do que deveria. E você pode se beneficiar disso. Terá uma grande vantagem se escolher fazer parte da pequena parcela de marcas e empresas que se dão ao trabalho de escavar os segredos dessas plataformas. E será apenas uma fração. Sempre é. Um dia, um membro da equipe do Google Analytics me informou que quase ninguém usava o sistema de rastreamento corretamente. O Google Analytics existe há tempo mais do que suficiente para os departamentos de marketing conhecerem o sistema de cabo a rabo. Mas a percepção das pessoas é que o sistema é complicado e amplo, de modo que até as melhores empresas de e-commerce não investiram o tempo e o empenho que deveriam para descobrir como tirar proveito de todos os recursos disponíveis. Mas algumas poucas empresas por aí fizeram isso e os dados que conseguem acessar as ajudam a vencer a concorrência todos os dias. Elas sacaram que o tempo investido em desvendar os segredos do Google Analytics seria uma gota d'água em comparação com os enormes retornos gerados por esse conhecimento. As marcas e empresas que se empenham para realmente entender as nuances e sutilezas das plataformas exploradas neste livro podem dominar o mercado e é o que vai acontecer. Sim, será frustrante quando o Facebook fizer, mais uma vez, alterações em seu algoritmo e nos feeds de notícias, e o Twitter e o Pinterest também fizerem ajustes e mudarem o design das plataformas. Mas, se você não se entregar à frustração, se mantiver sempre alerta e descobrir como tirar proveito dessas alterações, poderá se posicionar instantaneamente quilômetros à frente dos outros. Eles podem correr e até conseguir alcançá-lo, reduzindo sua vantagem, mas você pode progredir muito e ser eficaz nos dois ou três anos em que estiver na dianteira. Além disso, se se mantiver à frente de maneira sistemática, que diferença fará se eles o alcançarem? Parafraseando o Jay Z, você já terá partido para a próxima, provavelmente descobrindo como contar histórias na tela do Google Glass e não mais em um celular. E, mais ou menos na mesma época, eu provavelmente vou escrever um novo livro chamado *Storytelling de quatro olhos*, ou algo parecido.

Enquanto isso não acontece, estarei contando histórias por toda parte, lançando *jabs* e ganchos de direita a cada oportunidade que tiver. Talvez eu poste um vídeo de nove segundos no Facebook, seguido de um breve tuíte acompanhado de um link para a Amazon. Ao mesmo tempo, você poderia encontrar uma foto da capa do livro no Instagram e um GIF animado da mesma imagem rodopiando no Tumblr. Ainda não sei exatamente o que vou fazer. Mas, não importa o que eu decidir, sempre estarei contando a mesma história – sobre as mídias sociais, sobre os negócios e sobre como hoje em dia eles são a mesma coisa.

DÉCIMO SEGUNDO ROUND

O NOCAUTE

Apenas alguns dias antes do prazo para eu entregar a versão final deste livro ao meu editor, o Instagram lançou o recurso de postar vídeos de 15 segundos, concorrendo diretamente com o Vine. Eu estava em Cannes e assim que pude voltei ao hotel e passei quatro horas assistindo a todos os vídeos do Instagram que consegui encontrar. Desde então, minha equipe da VaynerMedia e eu, e todos os profissionais de marketing, as marcas e as empresas mais progressistas do mundo, corremos para descobrir a melhor maneira de contar uma história em 15 segundos de vídeo em uma plataforma criada para postar fotos. Não consigo pensar em um exemplo mais adequado sobre o tipo de mundo em que vivemos agora.

Esqueça o *Mad Men* e que o Don Draper (desculpem o palavrão) vá à merda. O mundo daquela época era fácil: 30 anos se passavam sem nenhuma mudança, era possível passar toda a carreira tentando descobrir como os mercados da mídia impressa e da TV funcionavam. Nosso mundo de hoje, o mundo em que você e eu vivemos, evolui a cada dia, a cada segundo. As habilidades necessárias para garantir o sucesso e a relevância de sua marca ou empresa são diferentes das habilidades necessárias dez anos atrás, que, aliás, eram as mesmas das décadas anteriores.

Tenho más notícias: não é fácil trabalhar com marketing e vai ficar cada vez mais difícil. Porém não temos tempo para lamentar a perda do passado, e a autopiedade também não leva a lugar algum. É nosso trabalho, como contadores de histórias dos tempos modernos, nos adaptar às realidades do mercado, porque a evolução não vai desacelerar só porque queremos.

Importante: enquanto avançamos, temos de continuar reavaliando com precisão quantas vezes devemos entregar valor nos apps, vídeos e óculos antes de podermos pedir aos consumidores para fazer algo por nós. Temos de nos lembrar de dar, dar, dar, antes de pedir. Esse sempre será o maior desafio. E também avançar com agilidade para acompanhar a evolução.

A vantagem de entrar logo nas novas plataformas está mais do que comprovada. As celebridades, empresas e marcas que obtêm altos índices no Instagram e no Pinterest não são necessariamente as mesmas que conquistaram a popularidade no Facebook ou no Twitter... Elas só entraram logo e as desvendaram antes dos outros. Colocaram as mãos na massa e se puseram a testar, aprender e observar os outros. Mergulharam de cabeça.

Espero que você faça o mesmo. Espero que lute por seu lugar no ringue das redes sociais com a mesma ferocidade e a mesma convicção com que Muhammad Ali e Joe Frazier lutaram durante o "Thrilla in Manila", a lendária luta pelo campeonato dos pesos-pesados de 1975, descrita como uma das lutas de boxe mais incríveis de toda a história.

Naquele dia, Ali foi oficialmente declarado o vencedor, mas dizem que os dois adversários lutaram tão bem e com tanto empenho que, na verdade, nenhum dos dois perdeu.

Eu sei que eu gosto de ganhar. E espero que você também!

NOTAS

Primeiro round

Norte-americanos que têm assinatura de celular: *Mobiforge*. 16 mai 2014. https://mobiforge.com/research-analysis/global-mobile-statistics-2014-part-a-mobile-subscribers-handset-market-share-mobile-operators#usasubs

Uso de redes sociais pelos norte-americanos em 2016. Statista. 2016
http://www.statista.com/statistics/273476/percentage-of-us-population-with-a-social-network-profile/

Usuários de Facebook nos EUA. *Statista*. 2016
http://www.statista.com/statistics/398136/us-facebook-user-age-groups/
eMarketer. 8 fev 2016. http://www.emarketer.com/Article/This-Year-More-Than-Half-of-Americans-Will-Use-Facebook/1013560
Dados populacionais dos EUA. Censo dos EUA.
http://www.census.gov/popclock/

Sobre os usuários do Twitter
SMITH, Craig. DMR. 14 jul 2016. http://expandedramblings.com/index.php/march-2013-by-the-numbers-a-few-amazing-twitter-stats/

LOECHNER, Jack. Booming Boomers. *MediaPost.com*, 21 ago. 2012. <http://www.mediapost.com/publications/article/181095/booming-boomers.html#axzz2XtXe5SNi>.

Pesquisa sobre baby boomers nas mídias sociais. Social Media Coach. 5 ago 2104. http://www.prepare1.com/social-media-baby-boomers/

Mães nas redes sociais. *PewResearch Center*. 16 jul 2015. http://www.pewinternet.org/2015/07/16/parents-and-social-media/

Tempo gasto nas mídias sociais. *eMarketer*. 7 out 2015. http://www.emarketer.com/Article/Growth-of-Time-Spent-on-Mobile-Devices-Slows/1013072

Anos que o telefone, o rádio e a televisão levaram para atingir 50 milhões de usuários. *Wall Street Journal*. 20 mar 2015. http://blogs.wsj.com/economics/2015/03/20/50-million-users-the-making-of-an-angry-birds-internet-meme/

Dados sobre o crescimento e o desenvolvimento da Internet: International Telecommunication Union, "Challenges for the Network: Internet for Development", Executive Summary, out. 1999, http://www.itu.int/itudoc/itu-d/indicato/59187.pdf.

Anos que o Facebook levou para atingir 50 milhões de usuários: newsroom.facebook.com.

Anos que o Instagram levou para atingir 50 milhões de usuários: Chris Taylor, "Instagram Passes 50 Million Users, Adds 5 Million a Week", Mashable.com, 30 abr. 2012. http://mashable.com/2012/04/30/instagram-50-million-users.

Dados sobre investimentos em mídia social. *Social Media Examiner*. 2015. https://www.socialmediaexaminer.com/SocialMediaMarketingIndustryReport2015.pdf

Terceiro round

YADAV, Sid. Facebook, The Complete Biography. *Mashablel.com*, 25 ago. 2006. <http://mashable.com/2006/08/25/facebook-profile>.
SNIDER, Mike. iPods Knock Over Beer Mugs. USAToday.com, 7 jun. 2006. <http://usatoday30.usatoday.com/tech/news/2006-06-07-ipod-tops-beer_x.htm>.

LYNLEY, Matt. 28 Crazy Facts You Didn't Know About Facebook. *BusinessInsider.com*, 17 mai. 2012. <http://www.businessinsider.com/28-crazy-facts-you-didnt-know-about-facebook-2012-5?op=1>.
Ibid.

Usuários ativos do Facebook por mês. *Statista*. 2016. http://www.statista.com/statistics/264810/number-of-monthly-active-facebook-users-worldwide/

Usuários ativos do Facebook pelo celular. Statista. 2016 http://www.statista.com/statistics/277958/number-of-mobile-active-facebook-users-worldwide/

TATHAM, Matt. 15 Stats About Facebook. Experian.com, 16 mai. 2012. <http://www.experian.com/blogs/marketing-forward/2012/05/16/15-stats-about-facebook>.

Dados do Facebook no Brasil:
CRUZ, Melissa. *Techtudo*. 28 jan 2016. http://www.techtudo.com.br/noticias/noticia/2016/01/facebook-revela-dados-do-brasil-na-cpbr9-e-whatsapp-vira-zapzap.html

Quarto round

Dados e estatísticas sobre o Twitter:
Usuários ativos do Twitter. G1. 2 jun 2016.
http://g1.globo.com/tecnologia/noticia/2016/06/snapchat-ultrapassa-twitter-em-numero-de-usuarios-ativos-por-dia.html

PICK, Tom. 102 Compelling Social Media and Online Marketing Stats and Facts for 2012 (and 2013). *Business2Community*, 2 jan 2013. <http://www.business2community.com/social-media/102-compelling-social-media-and-online-marketing-stats-and-facts-for-2012-and-2013-0367234>.

LANGER, Eli. 7 Things You Didn't Know About Twitter. *BusinessInsider.com*, 17 mar 2013. <http://www.businessinsider.com/7-things-you-didnt-know-about-twitter-2013-3>.
Ibid.

SMITH, Craig. By the numbers: 170+ Amazing Twitter Statistics. http://expandedramblings.com/index.php/march-2013-by-the-numbers-a-few-amazing-twitter-stats/

Quinto round

Dados e estatísticas sobre o Pinterest.

SMITH, Craig. By the numbers: 270+ Amazing Pinterest Statistics. 1 mar 2016. <http://expandedramblings.com/index.php/pinterest-stats/>.

Ten Pinterest Stats All Marketers Need in 2016. *Social Draft*. 1 mar 2016. <http://socialdraft.com/tag/pinterest-demographics-2016/>.

O Pinterest foi inventado: Alyson Shontell, "Meet Ben Silberman, the Brilliant Young Co-Founder of Pinterest," *Business Insider*, 13 mai 2012, http://www.business insider.com/pinterest–2012–3.
Dados e estatísticas sobre o Pinterest: SMITH, Craig. By the numbers: 270+ Amazing Pinterest Statistics. <http://expandedramblings.com/index.php/pinterest-stats/>.
BEESE, Jennifer. 8 Pinterest Statistics That Marketers Can't Ignore. 4 fev 2015. <http://sproutsocial.com/insights/pinterest-statistics/>.

Ten Pinterest Stats All Marketers Need in 2016. Social Draft. 1 mar 2016. <http://socialdraft.com/tag/pinterest-demographics-2016/>.
Agora que o Pinterest revisou: Pinterest, http://about.pinterest.com/copyright.

Dados sobre vendas no Pinterest:
DOUGHERTY, Jim. 25 Pinterest Stats, Facts & PR Best Practices. 19 jan 2015. <http://www.cision.com/us/2015/01/25-pinterest-facts-and-pr-best-practices/>.

VAUGHAN, Pamela. Pinterest Drives More Revenue per Click than Facebook. HubSpot, 28 jan 2014. http://blog.hubspot.com/marketing/pinterest-revenue-infographic#sm.001veuzqg8otd6k10gg1hw84lmvs8

HAYNES, Mark. How Pinterest Drives Ecommerce Sales. *Shopify*, Mai 2012. <http://www.shopify.com/blog/6058268-how-pinterest-drives-ecommerce-sales#axzz2SEv3Ya59>.

Sexto round

Dados e estatísticas sobre o Instagram:

ASLAM, Salman. Instagram by the Numbers: Stats, Demographics & Fun Facts. 19 out 2015.
<http://www.omnicoreagency.com/instagram-statistics/.>

Escala do alcance do Instagram: The Most Impressive Instagram Statistics For 2016. Meadiakix. Mar 2016.
< http://mediakix.com/2016/03/top-instagram-statistics-you-should-know/.>
Ibid.
Quantidade de usuários:
7 estatísticas do Instagram que você precisa ver! *Ideas*. 20 jul 2015.
<https://ideas.scup.com/redes-sociais-2/7-estatisticas-do-instagram-que-voce-precisa-ver/.>
BEESE, Jennifer. 5 Insightful Instagram Statistics That You Should Know <http://sproutsocial.com/insights/5-instagram-stats/.>

Dicas para criar um bom conteúdo no Instagram
KOLOWICH, Lindsay. 48 Instagram Stats That'll Help You Improve Your Posting Strategy. 9 jun 2016
<http://blog.hubspot.com/marketing/instagram-stats#sm.0001i5r1vnudffjl-v5r1lsdfr2i8r.>

KOLOWICH, Lindsay. 48 Instagram Stats That'll Help You Improve Your Posting Strategy. 9 jun 2016. http://blog.hubspot.com/marketing/instagram-stats#sm.0001i5r1vnudffjl-v5r1lsdfr2i8r

Sétimo round

Dados e estatísticas sobre o Tumblr:
Quantidade de usuários e quantidade de posts: Informação à imprensa. <http://www.tumblr.com/press>.

História do Tumblr:
KARP, David. Don't Laugh at Us. Tumblr.com, 8 mai 2008. <http://staff.tumblr.com/post/28221734/dont-laugh-at-us>.

WELCH, Liz. David Karp, the Nonconformist Who Built Tumblr. *Inc.com*, jun 2011. <http://www.inc.com/magazine/201106/the-way-i-work-david-karp-of-tumblr_pagen_2.html>.

Compra pelo Yahoo e valores:
COOK, Diana. Facebook's 900 million? But What About Engagement?. *TheNextWeb.com*, 17 mai 2012. <http://thenextweb.com/social media/2012/05/17/sure-Facebook-has-900-million-users-but-its-engagement-is-smoked-by-these-other-sites/?Fromat=all>.

ISIDORE, Chris. Yahoo Buys Tumblr in 1.1 billion deal. *CNN Money.com*, 20 mai 2013. <http://money.cnn.com/2013/05/20/technology/yahoo-buys-tumblr/index.html>.

Ele tinha milhões de ideias: CHESHIRE, Tom. Tumbling on Success: How Tumblr's David Karp Built a £500 Million Empire. *Wired.Co.UK*, 2 fev 2012. <http://www.wired.co.uk/magazine/archive/2012/03/features/tumbling-on-success?page=all>.

A salada de frutas do Tumblr: Ibid.

O início como plataforma de blog: PEREZ, Sarah. With Today's Update, Tumblr Starts to Look More like a Fully Featured Twitter than Blogging Platform. *TechCrunch.com*, 24 jan 2013. <http://techcrunch.com/2013/01/24/with-todays-update-tumblr-starts-to-look-more-like-a-fully-featured-twitter-than-blogging-platform>.

Entrevista na Forbes: Um projeto de arte de US$ 800 milhões: BERVOVICI, Jeff. Tumblr: David Karp's US$ 800 Million Art Project. *Forbes.com*, 2 jan 2013. <http://www.forbes.com/sites/jeffbercovici/2013/01/02/tumblr-david-karps-800-million-art-project/#6233114b6969>.

Se fosse Leonardo da Vinci: HART, Hugh. Animated GIFS Paint Breaking Bad Characters in Day Glo Pixels. *Wired.com*, 12 abr 2012. <http://www.wired.com/2012/04/breaking-bad-gifs/>.

KRAMER, Mel Kramer. *Fresh Air on Tumblr*, 10 abr 2013. <http://nprfreshair.tumblr.com/post/47647361814/i-was-sick-and-out-of-the-office-most-of-last-week>.

Oitavo round

Dados e estatísticas sobre o LinkedIn:
Sala de Imprensa: https://press.linkedin.com/about-linkedin. 21 jul 2016.

SMITH, Craig. By the Numbers: 125+ Statistics about LinkedIn. *DMR*. 14 jul 2016. http://expandedramblings.com/index.php/by-the-numbers-a-few-important-linkedin-stats/

Dados e estatísticas sobre o Vine:
SMITH, Craig. By the Numbers: 27+ Statistics about Vine. *DMR*. 14 jul 2016. http://expandedramblings.com/index.php/vine-statistics/

Vídeos do Vine repostados no Twitter:
WORTHAM, Jenna. Vine, Twitter's New Video Tool, Hits 13 Million Users. *New York Times*, 3 jun 2013. <http://bits.blogs.nytimes.com/2013/06/03/vine-twitters-new-video-tool-hits-13-million-users>.

CROOK, Jordan. One Week In, Vine Could Be Twice as Big as Socialcam. *TechCrunch*, 31 jan 2013, <http://techcrunch.com/2013/01/31/one-week-in-vine-could-be-twice-as-big-as-socialcam>.

HEINE, Christopher. Twitter Vines Get Shared 4X More than Online Video: Researcher Says Nascent Tool Packs Branding Punch. *AdWeek*, 9 mai 2013, <http://www.adweek.com/news/technology/twitter-vines-get-shared–4x-more-online-video–149340>.

Compartilhamento no Vine: HEINE, Christopher. Twitter Vines Get Shared 4X More than Online Video: Researcher Says Nascent Tool Packs Branding Punch. AdWeek, 9 mai 2013, <http://www.adweek.com/news/technology/twitter-vines-get-shared–4x-more-online-video–149340>.

Sobre o Snapchat: WORTHAM, Jenna. A Growing App Lets You See It, Then You Don't. *New York Times*, 8 fev 2013. <http://www.nytimes.com/2013/02/09/technology/snapchat-a-growing-app-lets-you-see-it-then-you-dont.html?_r=0>.

Nono round

Sobre as lutas de boxe:
SELTZER, Robert. Fortitude Made Douglas a Big Hit, a Change of Heart Led to Triumph in Tokyo. *Philadelphia Inquirer*, 15 fev 1990.

Douglas Weighs In at 246 vs. Holyfield. *Daily Record*, 25 out 1990. <http://news.google.com/newspapers?nid=860 &dat=19901025&id=4HhUAAAAIBAJ&sjid=e48DAAAAIBA J&pg=6802,7359288>.

SOBRE O AUTOR

Gary Vaynerchuk é, antes de tudo, um empreendedor do storytelling. Também é autor best-seller do *The New York Times* e sua agência de consultoria digital, a VaynerMedia, trabalha com empresas da *Fortune 500* para desenvolver conteúdos e estratégias de mídia digital e social. Tem um canal no YouTube chamado "#AskGaryVee Show". A *Businessweek* o apontou como uma das 20 pessoas que todo empreendedor deveria seguir, e a CNN o elegeu um dos 25 melhores investidores da tecnologia no Twitter. Ele mora em Nova York, onde é torcedor fervoroso do New York Jets.

CONHEÇA OUTROS LIVROS DA ALTA BOOKS!

Negócios - Nacionais - Comunicação - Guias de Viagem - Interesse Geral - Informática - Idiomas

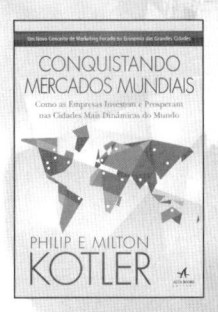

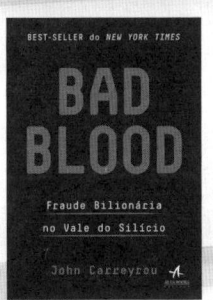

Todas as imagens são meramente ilustrativas.

SEJA AUTOR DA ALTA BOOKS!

Envie a sua proposta para: autoria@altabooks.com.br

Visite também nosso site e nossas redes sociais para conhecer lançamentos e futuras publicações!
www.altabooks.com.br

/altabooks ▪ /altabooks ▪ /alta_books

ALTA BOOKS
EDITORA

CONHEÇA OUTROS LIVROS DA ALTA BOOKS!

Negócios - Nacionais - Comunicação - Guias de Viagem - Interesse Geral - Informática - Idiomas

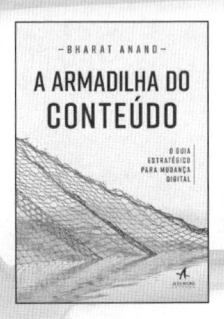

Todas as imagens são meramente ilustrativas.

SEJA AUTOR DA ALTA BOOKS!

Envie a sua proposta para: autoria@altabooks.com.br

Visite também nosso site e nossas redes sociais para conhecer lançamentos e futuras publicações!

www.altabooks.com.br

/altabooks ▪ /altabooks ▪ /alta_books

ALTA BOOKS
EDITORA

Este livro foi impresso nas oficinas gráficas da Editora Vozes Ltda.,
Rua Frei Luís, 100 – Petrópolis, RJ.